75

LA STATUETTE
D'ARGILE

Derniers romans parus dans la collection Delphine :

ALLÉE DES CERISIERS
    par Ellen J. FRENCH

PARLE DOUCEMENT, MON AMOUR
    par Molly LILLIS

LE CŒUR AVEUGLE
    par Mary FAID

LE TEMPLE DES SEPT POUPÉES
    par Anne SHORE

MADELINE AUX DEUX VISAGES
    par Catherine BRENT

L'OURS ET L'EXILÉE
    par Elisabeth BERESFORD

POUR ÉCHAPPER À TES GRIFFES
    par Valerie SCOTT

L'ENNEMI DE LA FAMILLE
    par Jean CURTIS

LA PORTE ENTROUVERTE
    par Georgina FERRAND

LA CEINTURE DE FEU
    par Jo CALLOWAY

PÉRILLEUSES IMPOSTURES
    par Rae COLLINS

A paraître prochainement :

AU SON DES TAMBOURS
    par Helen MURRAY

À TRAVERS LES ORAGES
    par Mary FAID

Elizabeth DAISH

LA STATUETTE D'ARGILE

(Minaret of Clay)

Roman traduit de l'anglais
par Anne Coquet
et adapté par l'éditeur

PUBLICATIONS EDITIONS MONDIALES
2, rue des Italiens — Paris-9e

ISBN N° 2-7074-3478-7

CHAPITRE PREMIER

Les plaques de linoléum étaient encore humides et, en sortant de l'ascenseur, Kathryn prit garde à ne pas les salir.

Le sous-sol du magasin était faiblement éclairé, mais les tubes fluorescents se mirent à clignoter, puis s'allumèrent, et leur éclat artificiel se refléta à l'infini sur les lampions rouges et les guirlandes argentées qui décoraient le *Lamborn's Emporium* pour les fêtes de Noël.

Encore une journée de travail en perspective, avec son cortège de parapluies et d'imperméables ruisselants ! Nombreux seraient ceux qui viendraient acheter quelque objet dont ils feraient faire un paquet-cadeau...

Kathryn se rendit dans la salle réservée au personnel, retira son manteau et rangea son sac dans son casier.

Elle repensa à la première journée qu'elle avait passée au *Lamborn's Emporium,* journée qui avait été éprouvante...

L'école des beaux-arts avait fermé — le temps des vacances était venu — et chacun était reparti chez soi.

Seules Mandy et elle, qui habitaient Bridgepath, étaient restées, pour travailler dans le grand magasin de la ville. Chaque jour, sur le chemin du travail, elles passaient devant l'école déserte, et le soir la ville leur semblait inanimée.

Kathryn s'avança d'un pas allègre dans l'allée centrale, entre deux rangées de machines à laver, se dirigeant vers le rayon « Jardinage ».

« Comment quelqu'un a-t-il pu concevoir de telles horreurs ? » se demanda-t-elle en regardant autour d'elle. Elle grimaça à la vue des vases à bas prix qui se trouvaient sur une étagère. Puis elle retira, avec précaution, le drap qui protégeait les porcelaines de Josiah Wedgwood (*). Elle prit délicatement une coupe fragile, et frissonna de plaisir : elle tenait une œuvre d'art...

Finalement, il n'était pas déplaisant de travailler au sous-sol ! Elle essaierait de deviner ce qu'achèterait tel client, de vendre quelque chose à celui qui ne serait là que pour « jeter un coup d'œil »... La direction payait assez bien le personnel temporaire et c'était ce qui comptait le plus. Elle pourrait économiser assez pour pouvoir partir à l'étranger l'année suivante... Rêveuse, elle épousseta les brocs et les chandeliers de cuivre, et remit en place une branche de houx artificiel.

Les autres vendeurs se préparaient aussi.

Le chef du sous-sol arpenta les allées, l'air sévère, mais il ne put faire aucune remarque.

(*) Artiste et industriel britannique, Josiah Wedgwood (1730-1795) fut l'un des meilleurs et des plus astucieux céramistes de son temps.

— Vous avez l'intention d'installer quelque chose ici, madame Royan ? demanda Kathryn.

Un rayon était vide, mais au-dessus étaient suspendues des guirlandes multicolores.

— Nous allons faire là une exposition de poterie artisanale de différents pays. Nous avons pensé que cela devrait « marcher » pendant la période des achats de Noël. Nous distribuerons des brochures touristiques sur les pays représentés. Je suis obligée de vous demander de vous occuper de l'agencement, car Madeline est malade. Vous me semblez moins maladroite que les autres, mademoiselle !

— Merci, madame !

— En attendant l'arrivée des colis, continuez de vous occupez de votre rayon !

Kathryn retourna à son comptoir et aperçut Mandy qui lui faisait de grands signes depuis l'escalier.

— Essaie de monter plus tôt pour la pause café, Kathryn ! J'ai vu « qui tu sais », en train de parler à l'homme le plus séduisant qu'on ait jamais vu ici ! Il fait toujours visiter la cantine à ses invités de bonne heure.

— Retourne à tes jambons et à tes saucisses ! dit Kathryn en souriant.

Il était dans le caractère de Mandy de donner à certaines choses beaucoup plus d'importance qu'elles n'en avaient et Kathryn n'appréciait pas son exubérance. Elle ne lui avait pas pardonné d'avoir délibérément provoqué une rencontre avec Ashley, avec lequel elle était fâchée depuis longtemps... S'il n'y avait eu cette malheureuse rencontre, qui n'avait fait que les opposer davantage... Elle haussa les épaules. Le souvenir de la beauté romantique d'Ashley lui était encore douloureux. Ils avaient été si heureux ensemble l'année précédente... Leur bonheur avait duré jusqu'au moment où elle s'était rendu compte qu'il était extrêmement jaloux et possessif.

Kathryn rejeta en arrière sa longue chevelure rousse. « Aucun homme ne m'a à ce point troublée ! » pensa-t-elle. Elle avait cru qu'elle ne regretterait pas d'avoir « rompu », mais à présent que Bridgepath était vidé de ses étudiants, que la rivière charriait des eaux sombres, il lui manquait. Elle avait la nostalgie de son rire, de leurs courses folles dans la brume du bord de la rivière, alors qu'ils allaient retrouver leurs amis au pub. Tant qu'avaient duré leur insouciance et leur gaieté, elle avait été heureuse... Mais Ashley l'avait voulue pour lui seul, et il lui avait demandé de vivre avec lui.

« Pourquoi pas ? avait-il dit. Ça rime à quoi de vivre chacun de son côté ? Nous ferions des économies en vivant ensemble ! »

Elle avait des principes arrêtés et n'avait rien voulu entendre.

« Je t'aime, Kathryn ! avait-il encore dit. Et je vois le côté concret des choses. Je croyais que tous les étudiants ne s'embarrassaient pas de ces principes qui appartiennent à une autre époque que la nôtre. Tu as tort, Kathryn... »

Outragée, elle avait dit ce qu'elle pensait du relâchement des mœurs.

La discussion s'était poursuivie, de plus en plus vive. Ashley s'en était allé, furieux.

Les clients affluèrent brusquement, et le rythme des ventes fut tel que Kathryn n'eut plus une minute à elle. Elle ne put souffler que quand Sarah Royan lui eut envoyé un remplaçant pour lui permettre d'aller boire un café.

Elle n'avait pas vu le temps passer !

Sur le chemin de la cantine, elle rencontra Justin Lamborn, l'homme que Mandy rêvait de séduire. Il était le seul membre de la famille qui possédait le magasin à être salarié.

Il lui sourit.

Elle répondit par un sourire de convenance, car elle n'avait pas oublié qu'il était opposé à l'embauche d'étudiants pour la période des vacances. (C'était en tout cas ce que lui avait raconté Mandy après son entrevue avec Garry Lamborn, l'oncle de Justin.) Kathryn se sentait toujours mal à l'aise quand elle le rencontrait. Elle le trouvait emprunté...

Elle tomba un peu plus loin sur Mandy. Celle-ci avait l'air fâché.

— As-tu « manqué » ton cher Justin Lamborn, Mandy ? dit-elle. Je viens de le croiser...

— On m'a dit que tu serais responsable de l'exposition de poterie, Kathryn !

— Les nouvelles circulent rapidement ici ! dit gaiement Kathryn.

— Ce n'est pas juste ! Pendant que je vendrai du jambon et des saucisses, tu seras auprès de cet homme adorable !

— Sache que je ne ferai strictement rien pour retenir Justin Lamborn au sous-sol, Mandy !

— Je ne pense pas à Justin Lamborn ! Je pense à l'homme qui était en sa compagnie ce matin !

— Je n'ai vu personne d'extraordinaire, Mandy... Il est vrai qu'en ce moment je suis allergique au charme masculin !

— Quand tu auras vu cet homme-là, nous en reparlerons ! Par ailleurs, je crois que « qui tu sais » devient moins farouche. J'ai eu droit à un beau sourire ce matin !

A l'école, Mandy était un boute-en-train. Sa vitalité et son exubérance étaient appréciées de tous, mais ici, au magasin, elles la desservaient. Kathryn se prit à regretter qu'elle n'eût pas été embauchée ailleurs. Peut-être était-ce à cause d'elle que Justin Lamborn s'était montré réticent à embaucher des étudiants ? A qui ne la connaissait que superficiellement, Mandy semblait vulgaire. « N'est-ce pas moi qui ai tendance à être trop sage ? se dit Kathryn. Ashley m'a bien fait remarquer que j'avais une mentalité d'un autre âge !... »

En retournant au rayon des porcelaines — les Wedgwood n'étaient là que pour attirer le regard —, elle trouva un message du prêtre de sa paroisse, qui lui demandait de s'occuper de l'installation d'une crèche dans l'église pour le cours de catéchisme. Ces personnages de porcelaine...

Elle regarda les étiquettes et fit la grimace. Elle n'avait pas les moyens d'offrir ces personnages à sa paroisse.

— Ce sont de très belles pièces ! On voit rarement d'aussi belles couleurs, aussi lumineuses...

Kathryn sursauta.

— Oh ! monsieur Lamborn !... C'est vrai que les couleurs sont magnifiques... Je n'ai pas les moyens de m'en offrir, hélas ! (Devant l'air surpris de Justin Lamborn, elle estima qu'elle devait s'expliquer...) On m'a demandé d'installer une crèche dans l'église de ma paroisse et j'avais pensé que certains de ces personnages... Je ferai des personnages en papier mâché, voilà tout !

Justin Lamborn fit appeler le responsable .de l'entrepôt.

— Il y a des objets de porcelaine déclassés, n'est-ce pas ? lui dit-il.

L'autre fit un signe de tête affirmatif.

— Mademoiselle... (Justin Lamborn se tourna vers Kathryn.) Excusez-moi, je ne connais pas votre nom...

— Shepherd... Kathryn Shepherd, monsieur.

— Mademoiselle Shepherd pourra prendre ceux qu'elle voudra !

Justin Lamborn fronça les sourcils et Kathryn crut qu'il allait se dédire.

— Je pose cependant une condition, mademoiselle Shepherd, une seule : vous m'inviterez à venir voir cette crèche !

— Je... Je vous suis extrêmement reconnaissante, monsieur !

Quand Justin Lamborn et le responsable de l'entrepôt s'en furent allés, Kathryn pensa que Mandy n'avait pas tort...

Des paquets furent apportés au stand vide et Sarah Royan fit signe à Kathryn de la rejoindre.

— Pendant que vous étiez à la cantine, monsieur

Dafal a déposé les brochures... Nous allons maintenant déballer. A chaque poterie est jointe une note, ce qui nous facilitera la tâche...

Elles se mirent au travail.

Bientôt Sarah Royan laissa Kathryn pour vaquer à d'autres occupations.

Beaucoup plus rapidement que Kathryn ne s'y était attendue, l'exposition prit forme.

Kathryn rêvait cependant... Irait-elle un jour en Espagne ? Les poteries d'Espagne ne lui plaisaient pas : elle avait l'impression qu'elles étaient faites en série. Les santons de Provence et les urnes de terre cuite du Languedoc étaient simples et rustiques, mais n'était-elle pas capable de faire aussi bien à l'école ?

Elle ouvrit un carton et eut le souffle coupé... Elle sortit un coquelet en terre. Ses plumes avaient été dessinées avec soin, et celles de la queue avaient été modelées et peintes une à une dans une riche palette de couleurs. L'oiseau, fièrement dressé, semblait vouloir défier les êtres vivants... Sa crête était vermillon, et les plumes du jabot avaient été peintes en camaïeu.

Kathryn plaça ce chef-d'œuvre à la meilleure place.

Elle sortit des plats décorés de caractères arabes, de dromadaires et de palmiers, de dunes de sable et de couchers de soleil éclatants, des objets en forme de poisson, de chameau.

Dans le carton suivant, il n'y avait que les débris d'une poterie...

— Quel dommage !

Kathryn se retourna brusquement.

Un homme était là, qui se mit à rire.

— Ce genre d'article ne voyage pas très bien, et nous n'avons pas réussi à trouver un emballage convenable.

L'homme sortit du carton un morceau assez gros et le tendit à Kathryn.

L'argile, claire, était ajourée, telle une dentelle.

— C'était un abat-jour, mademoiselle ! Le charme de ces abat-jour est la conséquence de leur fragilité...

Kathryn sourit.

— J'aimerais en voir un entier un jour ! dit-elle.

L'homme lui adressa un sourire éclatant. Et il se présenta :

— Je suis ici pour vous aider, mademoiselle. Je suis Nazim Dafal, de l'agence de voyages Campion. J'ai des intérêts dans l'exportation des poteries tunisiennes... Celle-ci est superbe, n'est-ce pas ? (L'homme désignait l'oiseau.) J'en ai vu de semblables à Nabeul.

— Où est-ce ?

— En Tunisie. Vous savez, les chameaux, le sable, les cactus, les hommes en djellaba !

Il lui lança un regard d'avertissement, comme s'il s'attendait qu'elle critiquât ce pays dont elle ne savait pas grand-chose.

— Pourquoi ce ton, monsieur ? Avez-vous peur que je ne critique ce pays ?

Nazim Dafal rougit.

— Vous avez deviné, mademoiselle. Il court tant de clichés sur la Tunisie...

— Vous êtes donc tunisien...

— Oui. Mon père est originaire de Paris.

(Kathryn ouvrit de grands yeux.) Il s'est si bien intégré à la population qu'il est devenu tunisien ! En débarquant à Tunis, c'était un homme sans religion. Cela n'a guère duré... Il a plusieurs commerces, dont un salon de coiffure... française ! Et vous, êtes-vous aussi anglaise que ne l'est la rose ?

— Presque ! dit Kathryn en souriant. Ma grand-mère est irlandaise, d'où mes cheveux roux.

Nazim Dafal posa un vase sur une étagère, et ses doigts effleurèrent fugitivement sa chevelure.

— Non, pas roux, dit-il d'une voix grave. Lumineux plutôt... Comme le cuivre chaud d'un plateau de Nubie. Ils sont splendides...

Il la regarda bizarrement. Les reflets d'or de la chevelure de Kathryn se mêlaient à la brillance des guirlandes de Noël.

Nazim Dafal sourit encore une fois, puis il s'en alla, laissant Kathryn au milieu de ses cartons et de ses catalogues.

Cette émotion, elle ne l'avait ressentie qu'avec Ashley, une nuit, au bord de la rivière, par un superbe clair de lune...

Elle revint à la réalité, songeant que ce n'était ni le lieu ni le moment de rêver.

A l'heure du déjeuner, elle prit un catalogue avec elle. N'avait-elle pas envisagé de s'octroyer des vacances ?... Cela n'avait absolument rien à voir avec la manière dont Nazim Dafal l'avait regardée !

Que lui avait dit Mandy ? « Quand tu auras vu cet homme-là, nous en reparlerons ! » Kathryn sourit intérieurement.

Au réfectoire, Kathryn s'assit seule à une table, et

se mit à feuilleter le catalogue. La Méditerranée...
L'Espagne, la France, l'Italie, la Yougoslavie, la
Grèce, le Proche-Orient, Malte, la Tunisie... Elle
passa très rapidement sur l'Algérie et le Maroc et
revint à la Tunisie... Des photos de produits d'artisanat : cuivres, bijoux, poteries. Elle pensa à Nazim
Dafal...

Elle se plongea dans la contemplation d'une lampe
d'argile ajourée comme une dentelle. Son auteur lui
avait donné la forme d'un minaret...

Elle décida de se rendre en Tunisie l'année suivante.

— Devine qui est venu acheter des saucisses,
Kathryn !

Kathryn revint brusquement à la réalité.

Mandy la regardait, l'air moqueur.

— Quelqu'un que je connais ? le duc d'Edim-
bourg ?

— Mais non, idiote ! Ashley !

— Je croyais qu'il devait passer les fêtes de Noël
en famille ! dit Kathryn en poussant un soupir
d'impatience.

— Tu es encore fâchée avec lui ? Moi, s'il me
demandait...

— S'il te demandait quoi ?

Mandy eut tout de même la bonne grâce de paraître gênée.

— Eh bien, je pensais... C'est-à-dire... Nous
étions tous convaincus que toi et lui...

— Ainsi, vous pensiez que nous ne tarderions pas à
vivre ensemble !... Et c'est peut-être vous qui lui avez
suggéré cette idée ! (Kathryn ne songeait pas à dissi-

muler sa colère.) Et je suppose que vous aviez désigné celui qui « prendrait » mon appartement quand l'heureux jour serait arrivé ?

— Mais non, Kath... Tu sais bien que les gens racontent toujours des histoires...

— Je te serais reconnaissante de faire savoir à tous les cancaniers que j'entends garder mon studio jusqu'à la fin de mes études, à la fin de l'année prochaine, et que je vis seule. Quant à Ashley, je souhaite qu'il me laisse tranquille ! Pourquoi est-il revenu ?

— Tu sais qu'il avait promis de faire une fresque sur un mur du vieil entrepôt transformé en maison de jeunes...

— Merci de m'avoir avertie, Mandy ! J'éviterai de passer du côté du vieil entrepôt...

— A ce soir, Kathryn ! Souviens-toi que tu as promis de venir au *Richmond* !

Kathyn passa la porte et sursauta : Ashley était là, qui l'attendait.

Il jeta sa cigarette dans le caniveau et s'avança avec ce sourire enjôleur qui l'avait séduite.

— Bonjour, Ashley, dit-elle d'une petite voix.

Elle enfonça profondément ses mains dans ses poches et poursuivit son chemin.

— Tu ressembles à une petite fille en colère ! lança Ashley gaiement.

Kathryn s'arrêta, se retourna.

— Et pourquoi ne serais-je pas en colère ? Je croyais notre rupture définitive, et te revoilà tout sourire, comme si rien ne s'était passé.

— Kathy ! Tu ne croyais tout de même pas que j'allais me résigner ? Je t'aime !...

Il la rejoignit, l'enlaça et la serra contre lui.

— Et je sais que tu m'aimes, Kathryn, malgré tous les efforts que tu as faits pour m'oublier...

Il y eut un moment de silence. Ashley avait pour Kathryn un regard tendre.

— Je reviens à toi, Kathryn, et j'accepte tes conditions. Je t'aime, tu sais... Un jour, j'en suis sûr, tu me reviendras totalement. (Kathryn se raidit.) Je t'ai dit que j'acceptais tes conditions. Ne te fâche donc pas ! Les autres nous attendent.

— Les autres ?

— Mandy ne t'a rien dit ? (Ashley alluma une cigarette.) Nous sommes attendus au *Richmond.*

Ashley accompagna Kathryn jusque devant chez elle.

Kathryn était à la fois heureuse qu'Ashley lui fût revenu — du moins s'efforçait-elle de le croire — et furieuse que Mandy fût intervenue de cette façon.

Ashley l'attendait au bord de la rivière. Il frissonna : le paysage était sévère, glacial ! Il ne comprenait pas comment on pouvait vivre avec ce décor. Il se demanda pourquoi lui-même avait proposé de brosser la fresque murale. Il faisait si froid ! Et puis il avait horreur de travailler avec les doigts engourdis.

En apercevant Kathryn, qui s'était changée, il oublia ses soucis. Ses cheveux étaient remontés sous une toque de velours noir, et sa bouche pulpeuse était soulignée discrètement d'un rouge à lèvres orange velouté.

Il lui prit la main et la mit dans sa poche, et frissonna de plaisir en sentant contre son bras la rondeur délicate de sa poitrine.

Ashley voyait la vie en rose...

— Nous avons le temps d'aller boire un verre, Kathy ! Ils nous attendront !

— Quand dois-tu commencer ta fresque, Ashley ?

Ashley haussa les épaules.

— Bientôt ! Le mur est préparé et j'ai tout ce qu'il me faut...

— Mais, tu m'avais répondu la même chose avant les vacances !

— Oui, mais je suis parti. En fait, quand tu..., quand nous avons rompu, j'ai failli abandonner le projet, mais maintenant que tu es là pour m'encourager...

— Mais tu n'as pas besoin de moi pour ça ! Je ne te comprends pas. Moi, quand j'ai envie de faire quelque chose, je me donne les moyens de le faire. Je n'apprécie pas qu'on regarde par-dessus mon épaule et qu'on me donne des conseils, comme si je n'avais aucune personnalité.

— Oui, mais toi, Kathy, tu n'es pas n'importe qui ! Moi, j'ai besoin de ta présence, de savoir que tu t'intéresses à ce que je fais.

Kathryn fit la grimace.

— A ta place, je me sentirais... prisonnière ! Moi, quand j'ai fait un projet, j'essaie de le réaliser sans le secours de personne ! J'apprécie ce que tu fais — j'ai eu l'occasion de constater que tu étais très doué —, mais je serais incapable de te regarder faire en poussant des exclamations... Je te disais que je me tenais au projet que j'avais fait... J'ai décidé de partir en voyage l'été prochain et j'économise...

— C'est bien la première fois que j'entends parler de cela !

— Tu sembles oublier que tu t'étais... absenté ! La vie continue, même quand Ashley Pemberton n'est pas là !

— Pourquoi ce ton, Kathy ? Après tout, je suis aussi concerné que toi !

Kathryn soupira.

— Je suis seule concernée, Ashley ! Je vais étudier certaine poterie traditionnelle... J'ai acquis une bonne technique, mais je veux élargir mes connaissances...

— Mais...

— Il n'y a pas de mais ! Je partirai seule pour la Tunisie !

Ashley n'aurait pas eu l'air plus choqué si Kathryn lui avait annoncé qu'elle avait décidé de partir pour l'enfer...

— Mais, c'est impossible, Kathy ! Seule...

Kathryn éclata de rire.

— Pourquoi serais-je moins en sécurité qu'en ta compagnie ?

Il caressa du regard son cou gracieux et la naissance de sa poitrine.

— Allons, Ashley, pourquoi voudrais-tu que je coure un danger ?

— Je ne plaisante pas, Kathy !

— Je l'ai remarqué. Mais je t'ai dit que je faisais ce qu'il me plaisait de faire, que j'allais où je voulais et avec qui je voulais ! J'ai décidé de partir pour la Tunisie seule, je patirai pour la Tunisie seule !

Ashley ne pouvait se douter qu'elle avait pris la décision d'aller en Tunisie brusquement.

Il ouvrit la bouche pour encore protester...

— N'insiste pas, Ashley ! Je t'aime beaucoup, mais tu ne dois pas essayer de me retenir. Pour revenir à la fresque, tu devrais la faire sans te soucier de l'avis des autres, Ashley ! L'Art exige une totale indépendance, et une certaine dose d'égoïsme !

Kathryn se sentit coupable en voyant le visage malheureux d'Ashley.

— Allons, Ashley, ce n'est pas demain que je partirai ! Et après tout, pourquoi ne déciderais-je pas de partir pour l'Islande ou pour la Suisse ? Tu serais tranquille, n'est-ce pas ?

Ashley avait oublié depuis longtemps la proposition qu'il avait faite d'aller boire un verre...

Un autobus s'arrêta et ils y montèrent. Même là il faisait très froid. Kathryn se demanda comment Nazim Dafal pouvait supporter cette température...

CHAPITRE II

Le sol humide de l'église, jonché de pétales de chrysanthème, était glissant et Kathryn, qui portait une boîte, perdit plusieurs fois l'équilibre.

— Ouf ! Je ne pensais pas que c'était si lourd !

Elle alluma la lampe qui éclairait la niche qu'elle devait décorer.

Justin Lamborn avait été prodigue : en plus des santons, il lui avait offert des pommes de pin et des branches de laurier de son jardin. Nazim Dafal, lui, s'était contenté de l'observer quand elle avait fait son choix.

Au fond de la niche, elle disposa un bas-relief en terre cuite et des branches de sapin odorantes. Le décor commençait à prendre forme.

Les santons paraissaient vivants, et, parmi les ensembles dépareillés, elle avait trouvé ce qu'il lui faudrait pour peupler la crèche.

Elle les installa l'un après l'autre, laissant pour la fin Jésus.

Elle mit celui-ci sous un arc de verdure, recula de quelques pas, et faillit perdre l'équilibre en sentant quelqu'un derrière elle. Surprise, elle bredouilla des excuses. Deux mains l'avaient retenue...

— Je suis désolé de vous avoir fait peur, dit Justin Lamborn sur un ton moqueur. Vous étiez tellement absorbée dans votre travail que je n'osais vous déranger.

Il s'agenouilla devant la crèche.

— Vous avez raison de la regarder ainsi : les enfants la verront à ce niveau.

Kathryn s'agenouilla aussi.

Ils déplacèrent quelques-uns des santons. Puis Justin Lamborn aida Kathryn à se relever.

Kathryn jeta un coup d'œil sur sa montre.

— Vous devez aller quelque part ? demanda Justin Lamborn. Voulez-vous que je vous dépose ? Cela ne me dérangerait pas...

— Ce n'est pas la peine, répondit Kathryn tandis qu'ils se dirigeaient vers la sortie.

Une pluie torrentielle tombait.

— Je vous accompagne ! dit Justin Lamborn en ouvrant son parapluie.

Ils furent bientôt dans la voiture.

Justin Lamborn fit aussitôt démarrer le véhicule.

Ils roulèrent un moment.

— Que diriez-vous d'un remontant ?

Sans attendre la réponse, Justin Lamborn arrêta la voiture devant le *Mitre Hotel*.

Ils entrèrent dans le bar douillet.

Justin Lamborn parla de sa maison du bord de la rivière.

— Votre femme s'y plaît ? demanda Kathryn.

— Ma femme ? Mais, je ne suis pas marié !

— Je pensais que vous l'étiez ! dit Kathryn, rouge de confusion. Il est vrai que je ne sais rien de vous.

— Je ne peux me lier avec les membres du personnel du magasin ! (Justin Lamborn haussa les épaules.) Mon oncle est très strict sur ce chapitre... C'est un patron un peu vieux jeu, comme vous l'avez sans doute remarqué.

— Le *Lamborn's Emporium* ! s'écria gaiement Kathryn. Un vrai bazar !

Justin Lamborn éclata de rire.

— Vous ne pouvez savoir combien je suis heureux de vous entendre parler ainsi ! Si je ne craignais pas de blesser l'amour-propre de mon oncle, je referais toute la décoration du magasin ! (Kathryn le regarda avec une expression d'étonnement.) Vous pensiez qu'entre moi et ma famille c'était l'union sacrée ? En un sens, c'est vrai, car j'aime le commerce et les contacts humains. Mais je vais prendre de longues vacances pour éviter de devenir aussi compassé que mon oncle !

— Vivez-vous chez vos parents ?

— Mon père est mort quand j'étais enfant et ma mère s'est remariée. Elle vit en Amérique du Sud, et elle m'a invité à aller la voir.

— En Amérique du Sud ! Mais, c'est merveilleux ! Vous pourriez aller au Pérou, visiter les temples inca et les autres vestiges d'une civilisation disparue...

— Je compte y aller l'année prochaine, car je sais que c'est un pays splendide. J'ai prévenu mon oncle qu'il devrait se passer de mes services pendant trois mois.

Justin Lamborn regarda fixement Kathryn et celle-ci en fut embarrassée.

— Pourquoi ne viendriez-vous pas avec moi ? demanda-t-il sur un ton léger.

Kathryn devina que cet homme avait vécu dans la solitude jusque-là.

— Oh ! bien sûr ! Je pourrais abandonner mes études et vous suivre !

Elle éclata de rire, persuadée qu'il avait plaisanté. Mais il posa la main sur la sienne, l'air grave.

— Je ne plaisante pas... Réfléchissez-y. Si vous veniez avec moi, vous feriez revivre pour moi tous ces trésors. Venez, Kathryn, je vous en prie !...

— Mais, vous me connaissez à peine !

— Vous pensez que je suis fou, n'est-ce pas ? C'est peut-être vrai. Je ne sais pas grand-chose de vous, c'est exact, mais je vous donne ma parole d'honneur que je suis honnête ! La première fois que je vous ai vue, vous étiez dans le vestiaire du magasin. Le soleil faisait des reflets d'or dans vos cheveux, et vous ne m'aviez pas vu. Vous aviez l'air si triste... J'ai eu envie d'essayer de vous réconforter, mais je n'ai pas osé... Depuis ce jour je n'ai cessé de penser à vous !

— Mais, c'est impossible ! Nous nous trouvons seuls pour la première fois !

— Kathryn, j'ai eu le coup de foudre pour vous ! Accepteriez-vous de m'épouser ?

— Mais, je... Comment... Comment pouvez-vous ? (Kathryn était bouleversée du tour qu'avait pris leur tête-à-tête.) Justin, je ne peux pas... Je ne sais que dire !

— Vous avez déjà fait un pas : vous m'avez appelé par mon prénom. Et vous avez les larmes aux yeux... C'est quelque chose, pour un homme ! (Justin Lamborn sourit tristement.) A présent, nous pouvons y aller. Je vous promets de ne faire aucune allusion à notre conversation quand nous nous reverrons... Ne croyez pas que je n'avais pas envie de vous faire la cour, Kathryn, mais... Ne dites rien ! Prenez le temps de réfléchir... Surtout, oubliez que je suis le neveu de Garry Lamborn !

Justin Lamborn aida Kathryn à revêtir son manteau.

— Faites-moi un sourire, Kathryn !... Je vous attendrai aussi longtemps qu'il le faudra !

Kathryn sourit machinalement.

La pluie avait cessé. Kathryn n'avait plus envie d'aller retrouver Mandy et ses amis, d'autant qu'ils savaient peut-être qu'elle était allée au *Mitre* en compagnie de Justin Lamborn.

— Pouvez-vous me ramener chez moi ? demanda-t-elle.

Au pied de l'escalier de bois, Justin Lamborn la prit dans ses bras et effleura sa joue de ses lèvres. Il la regarda disparaître dans l'entrée.

Une péniche passa, et ses lumières percèrent l'obscurité pendant quelques instants.

Justin Lamborn aimait la rivière comme une amie, une confidente.

Il retourna à pas lents à sa voiture...

Kathryn caressa la joue sur laquelle Justin avait déposé un très léger baiser.

Puis elle composa le numéro de téléphone du *Richmond*. Quand on lui eut répondu, elle demanda si Ashley était là. Le bruit était tel qu'elle dut poser la question plusieurs fois.

Ashley était là. Il se déclara déçu qu'elle ne vînt pas.

« — J'avais promis de terminer la crèche avant que les enfants ne répètent les chants de Noël ! » cria-t-elle.

Ashley répondit quelque chose, qu'elle ne comprit pas.

« — Oh ! à quoi bon discuter ? cria encore Kathryn. Je ne t'entends pas ! A demain ! »

Elle raccrocha et alla s'asseoir à la fenêtre.

Elle repensa à ce qui s'était passé au *Mitre*...

Elle sentait encore la caresse de la main fine de Justin Lamborn sur la sienne.

Lui au moins, il lui avait demandé de l'épouser, contrairement à Ashley !

Kathryn n'eut guère de loisirs en cette période... Elle observait avec étonnement ces gens qui achetaient un peu n'importe quoi pour l'offrir...

Ashley boudait, parce qu'elle était trop fatiguée pour se permettre de sortir le soir.

Justin Lamborn, était le plus souvent à Londres, où il préparait la saison prochaine.

Un jour il l'invita à déjeuner au *Mitre* et elle accepta...

— Je dois m'occuper d'un certain nombre de choses avant de m'en aller ! Mon oncle souhaite que je ne reste pas absent longtemps...

Ils venaient de s'installer.

— Vous partez vraiment ?

— Bien entendu ! Pourquoi serais-je revenu sur ma décision, Kathryn ?

— Comme vous, je répugne à revenir sur les décisions que j'ai prises... J'ai décidé de partir l'année prochaine et je partirai !

— Vous n'aimeriez pas visiter le Pérou ?

C'était la première allusion qu'il faisait à ce qui s'était passé.

Kathryn rougit.

— Non, je veux visiter la Tunisie !

— Pourquoi ce pays ?

— C'est une étrange histoire. Le jour où les poteries sont arrivées pour l'exposition, j'ai été très étonnée par celles de Tunisie. Par un coq, en particulier, qui était une véritable œuvre d'art. J'avais l'impression qu'il allait se mettre à chanter... L'avez-vous vu ?

— A l'aube, le coq chanta et ceux qui se trouvaient
Devant la taverne crièrent : « Ouvrez cette porte ! »
Le temps qui nous reste est bien court,
Et si nous partions, nous pourrions revenir.

Kathryn ouvrit grands les yeux.

— C'est un quatrain de 'Umar Khayyâm [*], n'est-ce pas ? Vous avez très bien compris mon émotion, Justin...

---

[*] Savant et poète persan, 'Umar Khayyâm (mort V. 1122) est l'auteur de *robâïates* (quatrains) par lesquels il célèbre, de façon souvent blasphématoire, la jouissance immédiate de la vie.

— Le poète souligne que la vie est courte, Kathryn... (Justin Lamborn se pencha vers elle.) Je vous ai dit que je vous attendrais aussi longtemps qu'il le faudrait, mais... Ne me faites pas languir, Kathryn !

Sans réaliser ce qu'elle faisait, elle posa la main sur la sienne.

— Justin, je vous en prie ! Je ne suis pas digne de vous. Je crois que vous m'aimerez moins quand vous me connaîtrez mieux.

— Je vous aime, Kathryn !

— Il n'y a pas que ce coq qui m'a donné envie de partir... J'ai aussi vu une lampe d'argile, qui est arrivée en morceaux, et je voudrais aller sur place, en Tunisie, pour voir travailler les potiers. Monsieur Dafal m'a dit que ces poteries supportaient mal le voyage... Peut-être irai-je au Pérou par la suite ? Si j'arrive à économiser assez d'argent en travaillant au *Lamborn's Emporium*...

— Si nous n'y allons pas tout de suite, nous pourrions être l'un et l'autre licenciés ! Je vous prendrai comme extra quand vous le voudrez...

— Merci, Justin ! Vous êtes l'homme le plus charmant que je connaisse.

— Non, je ne suis pas charmant, mais égoïste et possessif. Je voudrais tout simplement garder un œil sur vous...

De retour au magasin, Kathryn vit que Sarah Royan regardait sa montre.

— Je vous prie d'excuser mon retard, madame...

Sarah Royan lui sourit alors qu'elle s'attendait qu'elle la réprimandât !

Kathryn s'aperçut que son bel oiseau avait disparu. Il avait été vendu.

— Nous en recevrons un autre la semaine prochaine, dit Sarah Royan. Dommage qu'il l'ait acheté avant la fin de l'exposition !... Il attirait les gens...

— Qui l'a acheté ?

— Vous n'êtes pas au courant ? (Sarah Royan avait l'air extrêmement sceptique.) Monsieur Lamborn ne vous a donc pas dit qu'il l'achetait pour l'offrir à quelqu'un ?

« C'est incroyable ! pensa Kathryn. Qui a pu nous voir ensemble au *Mitre* ? On ne peut pas faire un pas dans cette ville sans que tout le monde soit au courant cinq minutes après ! »

Puis elle se mit à garnir de fragiles bougeoirs de bougies roses, sous l'œil approbateur de Sarah Royan.

Quand elle eut terminé, celle-ci lui demanda combien de temps encore elle travaillerait au *Lamborn's Emporium*.

— Je pars après les soldes, mais monsieur Lamborn m'a proposé de travailler le samedi comme extra...

Elle regretta aussitôt d'avoir prononcé ces mots ! Sarah Royan souriait, ce qui signifiait que tous les membres du personnel seraient rapidement informés de la proposition que Justin lui avait faite. En dehors des périodes d'intense activité, les emplois temporaires étaient difficiles à obtenir... On tirerait des conclusions hâtives...

En sortant ce soir-là, Kathryn trouva Mandy qui l'attendait.

— Bonsoir, belle étrangère ! dit Mandy. Je t'ai attendue tous les soirs de la semaine.

— J'ai eu beaucoup de travail, Mandy !

— Tu parles ! Jethro t'a vue sortir du *Mitre* à l'heure du déjeuner. Bien joué !... Et tant pis pour moi ! J'espérais que Justin Lamborn... Il y a des gens qui ont vraiment toutes les chances ! Le séduisant Dafal a disparu. Il paraît que tu n'avais pas besoin de lui à son stand !... C'est ce que j'ai moi-même entendu.

— Mais je n'ai fait que placer les poteries et épousseter les catalogues !

Sans qu'elle pût s'en expliquer la raison, Kathryn était déçue que Nazim Dafal s'en fût allé. Depuis quelque temps, chaque fois qu'elle avait contemplé le coq d'argile, elle avait songé à deux hommes : à Nazim, qui venait du pays où il avait été fait, et à Justin, qui avait cité un poème de 'Umar Khayyâm...

— L'agence a vendu beaucoup de voyages ?

— Il paraît que c'est une excellente réussite. Les gens qui vivent dans le froid rêvent de ciel bleu et de palmiers... et ils achètent. « Signez maintenant, payez plus tard ! » Quand la facture arrive, ils regrettent de s'être laissé tenter. (D'un geste impatient, Mandy boutonna son manteau.) Moi, je ne me laisserai jamais prendre à ce genre de piège !

— Il en faut pour tous les goûts, Mandy... Moi aussi, je voudrais aller dans un pays chaud l'année prochaine. (Kathryn ne jugea pas utile d'annoncer à Mandy qu'elle irait en Tunisie... ni que Justin l'avait invitée à l'accompagner en Amérique du Sud...) Comment va Ashley ? Je ne l'ai pas vu depuis quelques jours.

— C'est à cause de cela que je voulais te voir. Nous sommes tous invités chez lui pour Noël. Il m'a demandé de te prévenir.

— De me prévenir de quoi ?

— De venir chez lui, je suppose. Tu viendras, n'est-ce pas ?

— Je ne sais pas. Mon oncle et ma tante seraient si contents si j'allais les voir...

— Alors là, tu m'étonnes ! Je suis sûre que tu n'as pas la moindre envie d'aller les voir. Tu m'avais dit toi-même l'année dernière que leur sensiblerie t'agaçait. Nous, nous allons passer une journée extraordinaire, tous ensemble !

— J'y réfléchirai, Mandy !

Le soir-même, Ashley lui posa lui-même la question. Il était adorable quand il souhaitait lui faire plaisir !

Elle remarqua cependant qu'il avait beaucoup maigri et le lui fit remarquer.

— J'ai dépéri parce que tu tardais à me donner ta réponse, Kathy ! murmura-t-il.

— Ne dis pas de bêtises ! Manges-tu seulement assez !

— Victoire ! Elle s'inquiète vraiment de savoir si je suis mort ou vivant ! Sais-tu seulement combien de fois nous nous sommes rencontrés depuis mon retour ?

— J'ai eu un travail fou ! dit Kathryn, mal à l'aise, sachant qu'elle avait fait ce qu'elle avait pu pour l'éviter. Après une journée au magasin, je suis à bout de forces !

Ashley la prit par la main.

— Ce n'est pas la peine de me raccompagner, Ashley ! Je peux rentrer seule ou avec Mandy. Tu devrais aller te coucher tout de suite et appeler le médecin. Tu as beaucoup maigri et tu fumes beaucoup trop !

— C'est de ta faute ! dit-il, mi-figue, mi-raisin.

— Comment ça, de ma faute ? Ce n'est pas moi qui allume tes cigarettes !

— C'est à cause de la fresque... Je voulais te prouver que je pouvais réussir même si tu n'étais pas là. J'ai fait dresser un échafaudage et je m'y suis mis. Mais il faisait froid et j'ai attrapé mal.

Les yeux d'Ashley brillaient de fièvre, mais aussi de fierté.

— Quel jeu es-tu en train de jouer, Ashley ? Je suppose que tu ne t'es pas mis en tenue d'été ?

— Je ne peux tout de même pas travailler avec un gros chandail !

Ashley alluma une cigarette, aspira et se mit à tousser.

Kathryn lui prit la cigarette et la jeta.

— Tu devrais ne plus fumer, Ashley ! Viens, tu vas prendre un taxi.

Ils étaient tout près d'une station.

— Accompagne-moi ! dit Ashley d'une voix suppliante. Tu sais que je ne suis rien sans toi. Pourquoi me tourmentes-tu, Kathryn ? Dis-moi que tu vas venir.

— Rentre chez toi, Ashley, avale quelque chose de chaud, prends de l'aspirine, et appelle ton médecin ou prends rendez-vous avec lui. C'est promis ?

Elle caressa ses tempes humides et sourit. Il lui prit la main et la tint contre sa joue.

— Viens avec moi, Kathy !... Je t'aime et j'ai besoin de toi ! (Doucement, elle retira sa main et secoua la tête.) Je n'aurais pas commencé cette fresque, si tu ne m'y avais poussé, Kathy.

— Ashley, je suis désolée de te voir malade, mais jamais je ne céderai à un chantage ! Je préférerais ne jamais te revoir ! Tiens, voici un taxi !

Kathryn prit Ashley par le bras et l'entraîna.

— Si tu veux vraiment me faire plaisir, Ashley, soigne-toi !

Elle déposa un baiser sur sa joue et sourit pour se faire pardonner sa rudesse.

Quand Ashley fut installé dans le taxi, elle lui fit un petit signe d'encouragement.

— Alors, comment l'as-tu trouvé ? dit Mandy à Kathryn en regardant s'éloigner le taxi. Pourquoi ne l'as-tu pas accompagné ? Il t'aime... Mais, peut-être penses-tu à quelqu'un d'autre ? Le séduisant Justin Lamborn ne t'a-t-il pas fait des avances ?

— Non, le séduisant Justin Lamborn ne m'a pas fait d'avances ! répondit Kathryn sans sourciller. Mandy, si tu rencontres Ashley, dis-lui...

— Qu'est-ce qu'il te prend, Kathryn ? Tu le rencontreras, toi !

— Tu lui diras que j'ai décidé de passer Noël en famille !

Kathryn laissa là Mandy et courut car un autobus était apparu.

« Plus que trois jours avant Noël ! » pensa Kathryn. Elle regarda les lumières à travers les vitres sales. L'atmosphère de fête qui régnait dans toute la ville la laissait indifférente. Elle avait téléphoné à sa tante pour lui annoncer qu'elle serait là pour le réveillon...

Kathryn n'avait pas eu de nouvelles d'Ashley. Etait-elle responsable de son état ? Et si Justin Lamborn s'était épris d'elle, en était-elle responsable ? Ainsi, il y avait deux hommes dans sa vie, très différents l'un de l'autre.

Avec Ashley, la vie serait gaie, mais superficielle. Elle se sentait capable de l'aimer passionnément, mais seulement sur le plan physique. Elle avait éprouvé quelque remords — ou quelque regret ? — de l'avoir laissé seul l'autre soir...

Avec Justin Lamborn, c'était tout autre chose... Etait-elle amoureuse de Justin ? Elle se rappela ses mains fermes et douces, son étreinte qui l'avait fait frissonner. Oui, elle en était aussi amoureuse !

Elle se secoua. Devenait-elle folle ? Pouvait-on être amoureux de deux personnes ?

Un voisin vint lui apporter deux colis qu'on avait laissés pour elle.

Elle dépouilla le courrier qu'elle avait pris en passant. D'anciens camarades d'école lui envoyaient leurs vœux de Noël. Elle ouvrit une épaisse enveloppe, et découvrit un gros catalogue de voyages envoyé par un organisme de tourisme tunisien. Elle n'avait rien demandé !... Etait-ce simple prospection ?

Elle ouvrit le premier paquet. Du papier du *Lamborn's Emporium*...

Elle eut le souffle coupé en apercevant la crête écarlate d'un coq. Une carte était jointe. Une seule phrase : « *Le temps qui nous reste est bien court* » et *on ne revient pas toujours*... Ce n'était pas un ultimatum, mais un rappel.

« Justin, je ne suis pas digne de vous ! » songea-t-elle.

Elle admira de nouveau cet oiseau venu de loin.

Elle le déposa avec beaucoup de précaution sur un châle de cachemire.

— Mon bel ami, sauras-tu me réveiller à l'aube ?

Le coq semblait la suivre des yeux...

« Je ne pourrai plus rien faire qui pût déplaire à Justin ! » pensa-t-elle avec une sensation de malaise.

L'autre colis avait le même emballage !

Là aussi il y avait une carte...

Lisez la brochure et partez pour la Tunisie ! Si vous rendez visite à mon père, à Sousse, il vous présentera les meilleurs artisans potiers. Retenez une chambre d'hôtel pour la première semaine, puis partez en voyage ! Vous aimerez notre peuple, j'en suis sûr ! Nazim Dafal.

P.S. : Je suis désolé que cette poterie soit en morceaux. Là-bas, vous en trouverez !

A l'intérieur de la boîte, elle trouva les débris du minaret d'argile.

Elle s'assit par terre, prit dans ses mains quelques-uns des morceaux. Elle revoyait le visage fier, entendait la voix moqueuse. Ce regard ardent...

Elle sourit. Le troisième homme...

Elle feuilleta la brochure où s'étalaient des plages de sable fin, des oasis verdoyantes, des visages d'une grande noblesse, reflet de nombreux métissages.

Le coq l'observait...

Oserait-elle aller dans ce pays qui était la patrie de cet homme étrange ?

CHAPITRE III

De temps à autre, le long de la route blanche et poussiéreuse, des carrés de lumière perçaient l'obscurité, et les phares de l'autobus éclairaient en passant des cactus difformes et fantomatiques. Tunis et ses maisons au toit plat était déjà loin. Le véhicule se dirigeait vers Hammamet par une nuit douce et profonde. Quand les passagers étaient montés dans l'avion, à l'aéroport de Luton, la neige tombait. Ils avaient entendu avec une grande satisfaction l'annonce faite par l'hôtesse : il faisait beau à Tunis et dans la région.

Kathryn était fatiguée. Elle avait été éprouvée depuis Noël ! Ce jour-là, Ashley était entré à l'hôpital, atteint de pleurésie, et elle n'avait pu faire moins que de lui rendre visite. L'odeur de l'éther l'avait ramenée à ses terreurs enfantines... Sa mère était morte dans un hôpital alors qu'elle n'était qu'une petite fille. Ashley s'était rétabli lentement, mais bien malgré lui, avait-elle pensé avec une certaine dérision. Il avait profité de la situation pour *exiger* sa présence ! Même Mandy, dont il était évident qu'elle souhaitait prendre la place de Kathryn dans son cœur, avait été irritée de tant de prétention.

Kathryn avait ressenti un immense soulagement à partir.

Justin, lui, s'était montré très attentionné envers elle. Elle se plaisait à se souvenir de sa gentillesse, de son comportement respectueux.

Une seule fois, il lui avait montré à quel point il la désirait. Ils étaient sortis ensemble pour fêter le nouvel an. Pour l'occasion, elle avait mis une longue robe de velours d'un vert plume de paon. Tandis qu'ils dansaient sous les lampes tamisées, il l'avait attirée contre lui. Puis il l'avait entraînée à l'écart et l'avait embrassée avec une telle passion qu'elle n'avait pu résister. Mais des amis s'étaient alors approchés d'eux pour leur présenter leurs vœux et Kathryn s'était ressaisie. « Quels importuns ! » avait dit Justin. Mais, le charme était rompu.

Kathryn avait pensé alors que Justin pourrait la rendre heureuse... Mais déjà dans l'avion elle n'avait plus pensé à lui que comme à un ami très cher...

Et s'il s'éprenait d'une Sud-Américaine ?

« Loin des yeux, loin du cœur », disait le proverbe.

Il était parti pour trois mois. Elle était pour un bon mois en Tunisie. Elle pourrait étudier, voyager, faire du dessin, et tenter de comprendre la mentalité des Tunisiens.

Il y avait dans cet hôtel qui paraissait fait de marbre de hautes fenêtres qui protégeaient de la chaleur. Les salons étaient vastes et décorés avec goût.

Kathryn vit une fresque et pensa à Ashley. Il n'avait pas terminé la sienne. Le ferait-il jamais ?

Il avait proposé de nouveau de l'accompagner, et, devant son net refus, il s'était mis en colère. Il avait perdu tout espoir devant sa fermeté, et avait été encore plus déconcerté en apprenant le départ de Justin pour l'Amérique.

« J'avais pensé que tu partirais avec lui ! » avait-il dit.

« Et toi, Ashley, que comptes-tu faire pendant les vacances ? »

« Comme si cela t'intéressait ! » avait-il répondu.

Quand elle l'avait appelé pour lui dire au revoir, il n'avait pas répondu.

Kathryn fut bientôt installée dans sa chambre et sortit sur le balcon, d'où elle entendait le bruit des vagues.

La nuit était douce.

Cette nuit-là, Kathryn allait dormir profondément.

Kathryn fut réveillée à l'aube, par le chant d'un coq. Elle sourit. Ce coq ressemblait-il à celui qu'elle avait laissé chez elle ? Avait-il la crête écarlate et des plumes bleues et vertes ?

Kathryn se leva, fit sa toilette, s'habilla et se rendit à la salle à manger.

Des serveurs tunisiens en livrée rouge servaient le petit déjeuner.

On plaça Kathryn à une petite table où se trouvait un couple âgé.

Après avoir mangé des tartines et bu un excellent café français, elle partit pour aller sur la plage avant qu'il ne fît trop chaud.

Il n'y avait pas un nuage dans le ciel bleu ; l'air était adouci par la brise.

Le sentier qui menait à la plage était bordé de superbes plantes aux fleurs multicolores, et déjà un vieil homme, qui portait la livrée de l'hôtel et était coiffé d'une chéchia rouge, arrosait les parterres. Kathryn remarqua que l'eau était immédiatement absorbée.

La plage de sable fin était déserte. Kathryn mit la main en visière pour regarder vers le port, émerveillée au spectacle des palmiers et de la végétation luxuriante sur fond de sable blanc.

De petites embarcations aux voiles rouge vif tanguaient à chaque mouvement de l'un ou l'autre des pêcheurs, qui faisaient avancer leur barque en plongeant de longues perches dans l'eau peu profonde.

Une symphonie de mouvements et de couleurs s'offrait à elle, et elle s'installa à l'ombre d'un parasol, son carnet à la main. Elle fut vite absorbée par l'étude du paysage marin, mais un bruit la fit revenir à la réalité. Elle leva la tête et vit des yeux sombres.

L'un des garçons portait des paniers de toutes les tailles, un autre un plateau garni de petits personnages d'argile de médiocre qualité.

Tous arboraient un sourire intéressé.

— La jolie demoiselle veut acheter un panier ?

Kathryn fit signe que non.

— Mais, une jolie demoiselle aime bien

acheter !... Elle aura besoin d'un panier pour mettre d'autres choses !

Soudain, Kathryn fut encerclée par nombre de têtes brunes aux cheveux courts et bouclés et au regard rieur. Une multitude de mains tendaient des châles de couleur vive, étalaient des tapis sur le sable, et battaient des tambourins...

Elle regarda les jeunes vendeurs : il y en avait une douzaine.

Elle ramassa son sac, se leva et dit fermement :

— Je n'ai pas d'argent sur moi !

Mais elle n'était pas rassurée.

— Jolie demoiselle, donne-nous des cigarettes !

— Dans ton sac, il n'y a pas de l'argent ?

Kathryn se sentit menacée.

— Non ! fit-elle.

Elle prit le chemin de l'hôtel, les gamins sur ses talons ou sautillant devant elle, continuant de brandir châles, tapis et tambourins.

Ils croisèrent un dromadaire et son conducteur, un vieil homme. L'animal était couvert de magnifiques tapisseries aux couleurs somptueuses, et le visage de l'homme était celui d'un prophète.

« Qu'ils aillent au diable, ces gamins ! pensa Kathryn. Je voudrais tellement faire un croquis, ou le prendre en photo ! »

Mais les gamins n'allèrent pas au diable...

Les serveurs la suivaient des yeux, et elle devina au regard hostile des employées qu'une femme seule était indésirable dans ce pays.

Prise de panique, elle se demanda ce qu'elle allait faire. Si elle ne pouvait se promener seule...

Elle vit le guide de l'hôtel sortir du salon, et réalisa qu'elle aurait dû rester là pour connaître les possibilités d'excursions.

Elle s'adressa au guide...

Elle s'était bien dit que cette femme n'avait pas le type nord-africain... C'était une Anglaise !

— Je suis désolée de vous avoir manquée, dit Kathryn. Je me suis promenée, mais une foule de gamins m'a assaillie pour essayer de me vendre des souvenirs. Comment faire pour leur tenir tête quand on est seule ?

— Tout dépend de ce qu'on vient chercher ici ! Certaines viennent par esprit de..., par esprit d'aventure.

Kathryn estima devoir mettre les choses au point.

— Moi, je suis venue étudier la poterie traditionnelle, visiter le pays, et dessiner. J'ai horreur d'être suivie, et je croyais pouvoir me promener tranquillement.

— Je m'appelle Dulcie Smith, mademoiselle. Si vous avez des ennuis, je vous aiderai. Il faut vous montrer ferme ; alors ils abandonnent. Ils jouent sur le fait que les Anglo-Saxons sont rarement méchants. Ces chenapans l'ont compris ! (Dulcie Smith rit.) La prochaine fois, ils vous proposeront d'être vos guides. Si vous refusez, ils prendront un adorable petit air malheureux et ils vous diront : « La jolie demoiselle anglaise est fâchée à cause de moi ?... Je ne voulais pas. J'ai fait de la peine à la demoiselle ? » Vous aurez l'impression d'être un véritable bourreau d'enfants ! Immanquablement, vous répondrez que vous n'êtes

pas en colère, et vous prendrez un guide dont vous
n'aurez pas besoin.

— Que dois-je donc faire ?

— Portez des lunettes noires, pour que votre
regard ne vous trahisse pas. Dites que vous avez
acheté des souvenirs l'année dernière... Mais jouez
bien le jeu : il savent reconnaître un touriste qui est là
pour la première fois. Par ailleurs, sachez qu'ils ado-
rent marchander ; n'achetez donc jamais qu'à la moi-
tié du prix qu'ils ont demandé. La plupart ne sont pas
méchants, mais... (Dulcie Smith regarda Kathryn de
la tête aux pieds.) Une jolie fille comme vous doit se
tenir sur ses gardes. On adore ici les jeunes Anglaises,
sachez-le ! Evitez donc de vous promener seule sur la
plage...

— Serait-ce si dangereux ?

— Tout est relatif, mademoiselle !... Autre
chose : les garçons du pays, des garçons charmants,
viennent au night-club, ils sont très séduisants et...
obstinés. Je me permets de vous conseiller de rentrer
avec d'autres touristes...

Devant l'expression de Kathryn, Dulcie Smith
éclata de rire.

— Je m'amuse beaucoup dans ce pays que
j'adore, mademoiselle... Je n'aimerais pas travailler
ailleurs... Si vous voulez vous inscrire pour l'excursion, il est encore temps. Nous allons aujourd'hui à
Nabeul... Voulez-vous que je vous inscrive ?

Kathryn fit un signe affirmatif de la tête.

— L'autobus sera à 14 heures devant l'entrée. A
tout à l'heure !

Rassérénée, Kathryn alla boire un café au bar.

Puis elle se rendit à la piscine, fit quelques brasses et paressa au bord de l'eau en sirotant du jus d'orange glacé.

En regardant autour d'elle, elle constata qu'il n'y avait de jeune femme seule qu'elle.

Nazim Dafal lui avait donné un sage conseil, en l'engageant à rester quelque temps à l'hôtel, pour s'habituer aux coutumes locales. Il lui avait envoyé un petit mot après Noël, lui communiquant l'adresse de ses parents à Sousse. Il avait précisé que s'il se trouvait en même temps qu'elle en Tunisie, il serait ravi de lui servir de guide. Le ton du message était courtois, sans plus, et elle se demanda pourquoi il se faisait tant de souci pour elle. Elle lui avait répondu pour le remercier, donnant la date de ses vacances et son adresse à Hammamet, mais elle n'envisageait pas d'aller rendre visite à ses parents. L'invitation lui paraissait être une invitation de pure politesse.

Kathryn revêtit un chemisier de soie et un pantalon de lin. Puis elle se coiffa d'un grand chapeau de paille, mit des lunettes noires, prit un carnet à esquisses et un cahier.

Elle se rendit ensuite au rendez-vous.

Quelques-uns des touristes étaient rouges comme des écrevisses : ceux-là ne s'étaient pas méfiés, la douceur du climat les avait trompés.

Kathryn n'était plus qu'une touriste comme les autres, isolée des indigènes, obéissant docilement aux ordres du guide.

Nabeul était une petite ville chaleureuse, et

Kathryn s'engagea sans crainte dans les ruelles étroites. Loin des hôtels, elle découvrit la noblesse et la
courtoisie des habitants, et la beauté des enfants
farouches. Elle pénétra dans la pénombre fraîche
d'un atelier de la grand-rue et sentit dans l'air une
odeur familière, celle de l'argile brute et d'un four
chauffé au bois. Elle se sentit dans un cadre familier
et suivit les différents stades de la fabrication d'objets
en terre.

Des enfants foulaient l'argile dans des bassines,
jusqu'à ce qu'elle devînt lisse et relativement facile à
travailler ; d'autres pétrissaient et sculptaient ensuite,
faisant des tuiles, des cendriers, des vases. Une jolie
petite fille peignait des cercles rouges et bleus sur de
grands plats, et d'autres, plus grandes, s'appliquaient
à des travaux de décoration délicats.

Kathryn avait déjà vu faire tout cela, mais
lorsqu'elle pénétra dans la cour intérieure, elle eut un
regard enchanté. A l'ombre se trouvaient des plats et
des pieds de lampe en argile ajourée et mate.

Une lampe était allumée, afin de montrer ce qu'il
en était.

Un minaret d'argile !

Dans une autre pièce, Kathryn regarda des garçons prendre de minuscules bouts d'argile, les aplatir,
les lisser, et en faire des plumes que d'autres plaçaient
une à une sur le corps d'un coq qui ressemblerait sans
doute comme un frère à celui qu'elle avait dans sa
chambre.

Elle acheta une lampe, qu'elle déposa avec précaution au fond d'un panier en osier.

Le reste de la journée lui offrit une palette de spectacles et de sons nouveaux, qu'elle raconta le soir à l'hôtel à ses compagnons de table. Ceux-là lui demandèrent si elle irait au night-club, songeant à leur propre jeunesse avec nostalgie. Ils furent surpris quand elle leur annonça qu'elle avait du travail.

Dès que le salon se fut vidé, Kathryn alla chercher son carnet et son cahier et s'installa pour prendre des notes et terminer ses croquis.

Un serveur vint la trouver.

— Mademoiselle Shepherd ?

— C'est moi.

— Un appel pour vous.

— Mais, ça ne peut pas être pour moi !

— On vous appelle de Sousse, mademoiselle !

Kathryn alla au téléphone.

« — Mademoiselle Shepherd à l'appareil ! » annonça-t-elle.

« — Ah ! je me demandais si vous n'étiez pas tombée dans le piège que l'on tend généralement aux touristes !... Mais, peut-être y avait-il ce soir un numéro de charmeur de serpents ?... »

La voix était moqueuse.

« — Monsieur Dafal ? »

« — Vous paraissez surprise... Suis-je à ce point indésirable ? »

Le ton était devenu grave. Qu'allait-il imaginer ?

« — Bien sûr que non ! Je suis ravie... Je ne m'attendais pas à entendre votre voix. Où êtes-vous ? »

« — Je suis à Sousse... Mon père vous invite à dîner demain soir... »

« — Mais, comment se rendre à Sousse ? J'ai l'adresse, bien sûr, mais... »

« — Est-ce à dire que si je ne vous avais pas appelée vous n'auriez pas rendu visite à mes parents ? »

« — Tout cela semblait si... difficile ! J'aurais eu l'impression de m'imposer. Votre père ne me connaît pas et ce doit être quelqu'un de très occupé. »

« — Il vous a réservé sa soirée de demain... A moins que vous n'ayez d'autres projets ? Je viendrai vous chercher après le déjeuner et nous irons à Sousse en voiture. Nous pourrions visiter les souks, la vieille ville et l'ancienne citadelle avant le dîner ? »

« — C'est une idée merveilleuse ! s'écria Kathryn. J'avais tant envie d'aller dans les souks ! »

« — Mais vous ne vous y seriez pas aventurée seule, n'est-ce pas ? Vous auriez peur que tous les hommes ne vous suivent, les uns parce qu'ils auraient été sensibles à votre charme, les autres parce qu'ils auraient voulu vous vendre un tapis... (Nazim Dafal rit.) Ce n'est pas pour rien que je vous avais conseillé de rester quelques jours à l'hôtel, le temps de vous accoutumer. Le touriste anglais moyen est fasciné par les plaisirs de la Tunisie ; il les apprécie quand il se sent protégé... »

« — Vous êtes injuste, monsieur Dafal ! C'est normal de se sentir dépaysé ! Même vous, vous avez dû être dépaysé, la première fois que vous êtes venu dans ce pays ! »

« — Je suis né ici, mademoiselle Shepherd ! »

« — Oh ! excusez-moi !... A quelle heure viendrez-vous ? Et comment dois-je m'habiller ? Dois-je apporter une robe longue pour le dîner ?

(Kathryn rit à son tour.) Je vous connais si peu, monsieur Dafal ! Je ne voudrais pas offenser vos parents s'ils sont stricts sur l'étiquette ! »

« — Ce que vous porterez n'aura pas d'importance pour eux ! Ils seront ravis de faire votre connaissance. Moi, je serais ravi de vous voir dans une jolie robe, une robe assortie à votre merveilleuse chevelure de cuivre chaud... »

Nazim Dafal avait prononcé ces derniers mots dans un murmure.

Quand elle eut raccroché, Kathryn demeura pensive. Elle entendait sa voix... Ne lui avait-il pas dit à Bridgepath que ses cheveux avaient la couleur d'un plateau en cuivre de Nubie... Elle se sentit rougir à cette idée.

Le serveur, lui, se demandait comment Dieu pouvait permettre qu'une aussi jolie jeune femme restât seule, et enviait l'homme qui l'avait appelée. Si son expression n'était pas trompeuse, elle était sous le charme...

Quand les touristes, très gais, furent revenus du night-club, Dulcie Smith vint trouver Kathryn.

— Tout va bien ? Je ne vous ai pas vue à *l'Oasis*...

— J'avais du travail. J'ai vu aujourd'hui des choses que je voulais fixer sur le papier.

Dulcie Smith s'installa dans un fauteuil.

— Quel plaisir de s'asseoir ! J'ai tellement dansé que j'ai les pieds « en compote ». C'est mon rôle de jouer les boute-en-train... Je ne pouvais faire plus ce soir.

Dulcie Smith tourna le regard vers le bar. Quelques-uns buvaient encore...

— Dans quel état seront-ils demain ?

Elle fit un signe de la main à un serveur et celui-ci accourut.

— Vous pourriez nous apporter deux tasses de café, Taha ?

— Pas pour moi ! dit Kathryn. J'ai sommeil et...

— Restez donc un moment ! Je suis excédée par ces hommes qui croient que c'est une aventure que venir en Tunisie ! (Dulcie Smith sourit.) Ne croyez pas que je les méprise, mais ils m'énervent parfois. Vous me distrairez de leur conversation sans intérêt.

On apporta les cafés, et Dulcie Smith eut un sourire de remerciement. Le serveur la salua d'un geste gracieux, touchant de la main sa poitrine puis son front.

— Il est très gentil ! dit Dulcie Smith. Mais il ne me comprend pas... L'égalité de l'homme et de la femme a été proclamée dans ce pays, mais comme ailleurs la chose n'est pas entrée dans les mœurs. Taha croit que je cours un danger à me promener seule : il ne conçoit pas qu'une femme soit capable de faire ce travail, et il a décidé de me prendre sous sa protection. (Kathryn se rappela que Dulcie Smith lui avait conseillé d'être extrêmement prudente...) Goûtez ce café : c'est le meilleur de l'hôtel, car c'est Taha qui le fait. (Elle tendit un plat à Kathryn, dans lequel se trouvaient des pâtisseries.) Même si vous n'aimez pas les douceurs, prenez-en quelques-unes, et vous les donnerez aux gamins, dehors. Taha serait vexé si nous refusions.

Kathryn en prit une et fit un beau sourire à Taha. Elle la glissa dans son sac dès qu'il eut tourné le dos.

— Que ferez-vous demain ? demanda Dulcie Smith.

— J'irai à Sousse.

— Mais l'excursion pour Sousse n'est prévue que pour vendredi ! Comment comptez-vous y aller ? En taxi ?

— Un ami doit venir me chercher.

— J'espère qu'il ne s'agit pas d'un de ces hommes qui hantent le night-club de l'hôtel ! dit Dulcie Smith, l'air contrarié.

— Oh non ! dit Kathryn.

Et elle fit le récit de sa rencontre avec Nazim Dafal.

— Dafal... Si c'est celui auquel je pense, son père est quelqu'un de très important à Sousse.

— Je sais qu'il possède un certain nombre de commerces...

— C'est bien lui ! Vous ne savez pas quelle chance vous avez d'être invitée chez les Dafal, ma chère ! Vous serez immédiatement adoptée par l'élite de ce pays et vous n'aurez plus rien à craindre de qui que ce soit !... C'est Nazim Dafal qui vous a appelée ? (Dulcie Smith eut un petit sourire.) Je reviens sur ce que j'ai dit... Vos ennuis ne font peut-être que commencer ! Je me souviens de lui... Qui pourrait l'oublier ?... C'est vraiment quelqu'un de particulier !

— Vous fréquentez des Tunisiens ? demanda Kathryn.

— Bien entendu ! Mais jamais je n'ai été reçue chez des gens du niveau des Dafal...

— Ma question était indiscrète... Excusez-moi, mademoiselle Smith !

— Vous savez, il n'y a pas de secret ! Il m'est arrivé quelquefois de me sentir ensorcelée... Pour être guide, je n'en suis pas moins femme... Et j'ai failli tout abandonner pour un homme... Il avait de nombreuses qualités, mais un très grave défaut : il était possessif. Je m'en suis détachée avant qu'il ne soit trop tard... Mais dans quel état j'étais ! (Dulcie Smith regarda Kathryn, sourit.) Tirez profit de ce que je vous ai confié, mademoiselle Shepherd... Même si vous êtes passionnément amoureuse, ne cédez jamais sans avoir longuement réfléchi au charme d'une voix de velours, d'un sourire éclatant, et d'yeux noirs brillants. Vous pourriez vous croire sur le chemin du paradis alors que vous seriez sur celui de l'enfer... (Dulcie Smith soupira.) Je redeviens sentimentale, vous voyez ? Je ferais mieux d'aller me coucher !

Dulcie Smith se leva et Kathryn fit de même.

CHAPITRE IV

Kathryn était devant la porte de l'hôtel, regardant les calèches s'emplir de touristes et s'éloigner au petit trot. De minuscules oiseaux voletaient çà et là.

Une élégante automobile de sport noire s'arrêta devant elle.

Nazim Dafal en sortit.

Kathryn sentit son cœur battre plus fort. A Bridgepath, elle l'avait trouvé séduisant, mais ici, dans son pays, il avait une aisance qui lui rappelait celle de Justin Lamborn.

Il la rejoignit et lui prit les mains. Il se pencha pour déposer un baiser sur sa joue, mais il se ravisa.

— J'oubliais ! Chez mes parents, on a l'habitude de s'embrasser... Excusez-moi.

Kathryn sourit timidement, déçue d'être exclue de ce rite dont elle pensait qu'il était français.

— C'est très gentil de votre part de m'avoir invitée, dit-elle.

Il prit son sac de voyage et le mit dans le coffre de la voiture.

— C'est très gentil à vous d'avoir accepté notre

invitation ! dit-il sur le même ton grave, mais les yeux rieurs. Je suis enchanté de vous revoir, en tout cas !

— Je crois que je vais vraiment apprécier votre pays en votre compagnie, dit-elle. Je ne pensais pas me sentir aussi isolée. J'ai déjà voyagé seule en Europe, mais ici j'avais l'impression d'être une demoiselle de l'époque victorienne sans son chaperon !

— Vous espérez que je vais vous chaperonner ? C'est un rôle que je n'aime pas beaucoup !

Nazim Dafal conduisait en regardant droit devant lui.

Il évita un vieil homme qui conduisait ses chèvres sur la chaussée sans se soucier de la circulation. Ce digne patriarche semblait sortir du Pentateuque... Sans doute menait-il ses chèvres brouter où il avait décidé, comptant sur Dieu pour qu'il l'inspirât. Celui-là n'était-il pas persuadé que les palaces s'écrouleraient un jour, que ces temples nés de la vanité des hommes seraient recouverts de sable ?

Nazim Dafal arrêta la voiture devant le rempart, dans un quartier moderne.

— Ici, on ne me volera pas ma voiture ! dit-il. Nous irons à pied...

Kathryn prit son sac, ses lunettes de soleil et un appareil photo.

— A-t-on le droit de prendre des photos ? demanda-t-elle.

— Je ne pense pas qu'on vous jettera en prison pour cela ! répondit Nazim Dafal en souriant.

Kathryn allait le prendre en photo devant la voiture, mais elle se ravisa.

— Où voulez-vous me prendre ? Dans la vieille ville ? En djellaba et coiffé d'une chéchia, peut-être ?

Le ton était acerbe...

— C'est à vous de choisir, n'est-ce pas ? dit-elle doucement. J'aime assez que mes modèles soient... décontractés !

Il lui lança un regard sombre, puis il la prit par le bras.

— En route pour la *qasba* ! lança-t-il.

Ils montèrent sur les fortifications par les marches de pierre taillée.

La ville s'étendait à leurs pieds, avec ses maisons blanches et ses minarets.

Des parfums d'épices et une musique assourdie montaient des ruelles étroites.

Ils redescendirent et se mêlèrent aux gens vêtus de blanc qui déambulaient nonchalamment. Les femmes portaient pour la plupart un long voile et l'on ne voyait de celles-là que les yeux.

Quelques enfants les suivaient, à une distance respectueuse car Nazim Dafal leur avait fermement conseillé de ne pas les importuner...

« Comme ils sont beaux ! » s'était écriée Kathryn, mais son compagnon n'avait pas commenté cette appréciation.

Une petite sauvageonne, en robe rose et pieds nus, tendit la main.

Nazim Dafal lui dit quelques mots en arabe, et elle s'en alla.

— Oh ! pourquoi avez-vous fait cela ? J'avais des bonbons dans mon sac.

— Ne soyez pas stupide, ma chère ! Si vous montriez ces bonbons, vous seriez assaillie par tous les gosses de la vieille ville.

— Mais, j'en serais ravie ! dit Kathryn gaiement. J'aurais dû en acheter au marché tout à l'heure.

— Ne faites jamais cela si vous êtes seule, dit sévèrement Nazim Dafal. Vous m'avez dit que vous aviez eu très peur sur la plage. Ici, vous seriez terrorisée. Les enfants vous encercleraient et vous risqueriez d'être blessée. Ils ne sont pas méchants, mais l'envie fait parfois faire de vilaines choses...

Kathryn se retourna.

— Mais, ces gosses ne sont pas nombreux et ils sont petits !

Nazim Dafal soupira.

— Puisque vous le voulez... (Il sortit de sa poche un sachet de bonbons.) J'en ai toujours sur moi... Mais je parle leur langue, moi, et ils savent qu'ils ne peuvent abuser !

Il se retourna et cria quelque chose.

Des garçonnets et des fillettes en haillons surgirent aussitôt, à la grande surprise de Kathryn.

— Mais d'où sortent-ils ? demanda-t-elle, suffoquée.

Il ne fallut que quelques secondes pour qu'il n'y eût plus de bonbons.

Mais les enfants, la main tendue, quémandaient de l'argent.

— Je comprends à présent ce que vous vouliez dire, dit Kathryn piteusement.

Nazim Dafal frappa dans ses mains et cria quelques mots d'arabe.

Il fit un pas en avant et les enfants abandonnèrent.

— Je vous remercie de m'avoir ouvert les yeux ! dit Kathryn.

— Je suis content de l'avoir fait ! dit Nazim Dafal en lui prenant la main.

— Je dois avouer que j'ai eu peur...

— Si vous avez besoin de ma protection, n'hésitez pas à me la demander, Kathryn ! Vous permettez, n'est-ce pas ?...

Parlait-il de l'aide dont elle pourrait avoir besoin ou faisait-il allusion à la main qu'il tenait ?

Ils s'installèrent à la terrasse d'un café ombragée par un immense figuier.

— Les enfants que nous avons vus n'ont-ils pas d'autre possibilité que de mendier pour vivre ? demanda Kathryn.

Nazim Dafal donna une pièce à un mendiant.

— Il y en a beaucoup ! dit Kathryn.

— On a tenté de supprimer la mendicité, mais les mendiants sont toujours là... Je ne vois pas comment les choses pourraient changer !

— Vous êtes musulman ! dit Kathryn, comme si cela avait quelque rapport avec la perpétuation de la mendicité.

Nazim Dafal tourna le regard vers la mosquée toute proche.

— Ce que je suis n'a guère d'importance. Ce pays est de tradition musulmane et c'est cela qui compte. Nous devons bâtir un pays moderne. La Tunisie est pauvre... Nous n'avons pas de pétrole, mais nous avons des oliviers et des orangers... Surtout, nous avons de l'ambition !

Kathryn constatait que cet homme était profondément engagé dans la vie de son pays...

— Les enfants, vont-ils tous à l'école ? y compris les filles ?

Nazim Dafal sourit.

— Les filles ont les mêmes droits que les garçons, vous savez ! Le problème est de convaincre les parents ! Regardez plutôt !

Des écoliers passaient, tous en blouse bleue et portant un cartable, gais comme des pinsons.

Nazim Dafal sourit de nouveau, mais il parut cette fois à Kathryn que son sourire était triste.

— Nous possédons un potentiel humain énorme... et beaucoup de vitamines C ! (Nazim Dafal leva son verre de jus d'orange.) Nous devons développer davantage le tourisme.

— Certains Tunisiens ont une drôle de façon d'appeler à ce développement !

Nazim Dafal suivit le regard de sa compagne.

Deux vieillards montraient le poing à des touristes qui se trouvaient dans un car...

— Je n'ai pas dit que tous les Tunisiens le désiraient, mais que nous en avions besoin. C'est très différent ! Nous sommes pauvres et nous avons besoin de devises... Les touristes ne perdent pas au change... (Nazim Dafal se pencha vers Kathryn.) Ne pensez-vous pas que cela valait la peine de venir ici ? de connaître un autre mode de vie ?...

Kathryn plongea son regard dans celui de Nazim Dafal. Elle sentit que celui-ci faisait effort pour ne pas la prendre dans ses bras...

Il se leva brusquement.

— Venez, Kathryn ! Nous avons encore des choses à voir...

Ils revinrent sur leurs pas et repassèrent dans la rue des Epices, où étaient exposées toutes les variétés d'herbes et d'épices imaginables. L'air embaumait. Des tuniques, des djellabas, des haïks, étaient suspendus comme des guirlandes, et partout on entendait une musique douce et captivante.

Dans le quartier neuf, les rues étaient larges et goudronnées. Partout, on voyait des drapeaux et des photographies du président de la République, Habib Bourguiba. Aux terrasses des cafés, des hommes discutaient en riant et regardaient passer les Européennes en tenue légère avec un mélange de curiosité et d'incrédulité. Certains jouaient aux dominos ou aux dames, d'autres fumaient le narguilé.

Ils s'arrêtèrent devant la vitrine d'une luxueuse boutique de vêtements.

Kathryn y vit des caftans et des djellabas magnifiques.

Nazim Dafal l'entraîna dans une cour intérieure.

Là, une fontaine chuchotait sous un palmier.

La porte de la boutique se trouvait là.

— Je n'ai pas les moyens de m'offrir des vêtements aussi onéreux ! dit Kathryn.

— Cela ne coûte rien de regarder !... Nous sommes devant la boutique de mon père...

Ils entrèrent et s'assirent sur un canapé de velours.

Une jeune femme leur apporta du café sur un plateau d'argent ciselé.

Kathryn s'extasia devant chacun des vêtements avec un émerveillement et une appréhension grandissants. Elle craignait de faire piètre figure dans sa robe du soir, songeant que la mère de Nazim Dafal porterait probablement l'un de ces vêtements. Elle n'avait apporté qu'une simple robe en liberty...

Elle revint s'asseoir auprès de Nazim Dafal.

— C'est féerique, dit-elle. Ce doit être passionnant de travailler comme styliste pour ce genre de boutique.

— Avez-vous fait du stylisme ?

— Oui, mais en amateur ! J'ai parfois envie de travailler des matériaux plus doux que l'argile.

— Vous pourriez travailler ici ?

— Vous plaisantez ! Je n'aurais pas le temps de visiter le pays. (Kathryn regarda un tissu brillant, en harmonie parfaite avec la coupe orientale du vêtement.) Quelle richesse de coloris ! Ces tissus sont vraiment somptueux ! Cela permet des créations très originales !

— Vous pourriez rester ici, Kathryn ! Je vous présenterais à des gens qui vous aideraient.

Tout en parlant, Nazim Dafal caressait du bout des doigts le plateau d'argent. Etait-ce un plateau de Nubie ? Kathryn avait la sensation que ses doigts effleuraient ses cheveux...

— C'est impossible ! dit-elle. Je voudrais tout voir, et j'ai si peu de temps...

Elle pensa soudainement à Justin Lamborn. Il lui avait cité un quatrain de 'Umar Khayyâm... *Le temps qui nous reste est bien court...* Mais les débauchés pourraient revenir quand ils le voudraient, eux.

Elle frissonna. Un jour, elle quitterait la Tunisie, qui avait déjà tissé un voile magique autour de son cœur. Y reviendrait-elle jamais ? Elle songea au splendide oiseau qui attendait son retour... Justin serait encore au Mexique ou au Pérou. Elle pensa alors à Ashley. Il serait là, lui, avec son sourire tendre et mélancolique. Elle voulait croire qu'à son retour elle se sentirait hors de danger. Mais, était-elle seulement menacée ? Nazim Dafal se conduisait avec civilité, certes, mais elle avait l'impression qu'un feu ardent couvait sous la cendre. N'avait-elle pas été imprudente de répondre si rapidement à son invitation ?... Pour se rassurer, elle se dit qu'il l'avait invitée comme il aurait invité n'importe qui, pour parler favorablement de son pays.

— Qu'est-ce que c'est ? demanda-t-elle en prenant un tissu de soie posé sur une table.

— C'est une robe dont la forme a été faite sur le modèle du haïk... Le haïk était le vêtement traditionnel des Tunisiennes... Mais les choses ont bien changé !

Nazim Dafal fit essayer lui-même le vêtement à Kathryn.

Ses mains fines mettaient délicatement chaque pli en place, ses doigts agiles touchaient les épaules et effleuraient la poitrine. Il avait les yeux mi-clos.

Kathryn, immobile, avait peine à dissimuler son trouble. Ses joues s'étaient teintées de rose...

Nazim Dafal déposa sur l'une de ses paupières un baiser doux comme la caresse d'un pétale.

Puis il se recula d'un pas, la regarda attentivement.

— Il se porte comme cela ! dit-il.

— C'est ravissant ! dit-elle en se tournant vers un miroir pour dissimuler son trouble.

— C'est superbe !

Nazim Dafal ne quittait pas Kathryn des yeux.

Une femme élégante s'avança vers eux en souriant.

— Ce vêtement est fait pour Madame !... L'emporterez-vous ?

Ce fut Nazim Dafal qui répondit :

— Pas maintenant ! Excusez-moi, mais nous sommes attendus chez mes parents.

En sortant, Kathryn sentit un changement dans son attitude. Peut-être craignait-il qu'elle ne fût mal reçue ? Peu lui importait, après tout ! Si elle n'était pas bien reçue, elle ne reviendrait pas !

La demeure familiale se trouvait en dehors de la ville, sur une hauteur dominant la mer.

Nazim Dafal conduisit Kathryn sur la terrasse. Une brise légère agitait les orangers en fleurs, dont le parfum discret montait dans l'air brûlant. Un serviteur vêtu de blanc vint prendre le sac de voyage de Kathryn.

— Yûsuf va vous conduire à une chambre, dit Nazim Dafal. Nous avons une heure avant l'apéritif. J'enverrai quelqu'un vous chercher pour que vous ne vous perdiez pas !

Kathryn monta le grand escalier de marbre.

A côté de la chambre se trouvait une luxueuse salle de bains, et elle remplit d'eau la baignoire. Au plafond, un miroir reflétait la baignoire d'onyx, qui était en forme de fleur de lotus.

Kathryn plongea avec délice dans l'eau douce et se prélassa un bon moment.

Elle sortit de là détendue et se sécha dans un épais drap de bain.

Elle se maquilla légèrement et se vêtit d'un corsage en broderie anglaise et d'une jupe pastel en liberty. Elle laissa sa chevelure retomber librement en cascade...

Elle entendit au loin une musique douce et plaintive. Elle écarta les rideaux de mousseline et regarda par la fenêtre. Un minaret se dressait dans le ciel d'azur, d'où provenait l'appel envoûtant... *Allahou akbar* ! [*] Le muezzin appelait les fidèles à prier... On eût dit que la vie s'était arrêtée dans la demeure...

Quelques minutes plus tard, on frappa à sa porte.

Une jeune fille souriante, qui ressemblait à Nazim Dafal, entra.

— Je m'appelle 'Aziza, mademoiselle. Je suis la sœur de Nazim...

Son visage était plus rond et sa peau plus sombre, mais dans ses yeux bruns se lisait la même chaleur.

Kathryn ne réagit qu'au bout d'un moment, tant elle avait été surprise.

— Il ne m'avait pas dit qu'il avait une sœur...

Kathryn tendit la main, mais 'Aziza s'approcha et l'embrassa sur les deux joues.

— Moi, j'ai entendu parler de vous !... De votre beauté, de votre intelligence, et de votre gentillesse...

---

[*] Dieu est le plus grand !

(Comme son frère, la jeune fille parlait d'une voix qui pouvait paraître moqueuse.) Vous avez fait une forte impression sur mon frère, mademoiselle... Etes-vous prête ?

'Aziza passa devant Kathryn pour lui montrer le chemin.

Kathryn admira l'harmonieuse démarche de 'Aziza, qui était vêtue d'un caftan brodé d'or.

Kathryn remarqua que le vêtement ne cachait le corps de la jeune fille que pour mieux en souligner les formes...

De quoi aurait-elle l'air, elle, ainsi vêtue ?

Nazim, en chemise de soie blanche et pantalon noir, une ceinture pourpre à la taille, l'attendait au pied des marches. Il était beau comme un dieu... Il la prit par la main, et son père vint à leur rencontre, mains tendues, le regard plein d'admiration.

— *Marhaben bikoum* ! Autrement dit, soyez la bienvenue ! Nous avons entendu parler de vous si souvent ! Vous êtes encore plus belle que je ne l'imaginais !

Nazim avait encore l'air inquiet. L'incertitude quant à l'accueil que ses parents réservaient à Kathryn était pourtant levée ! « Il doit penser que c'est moi qui risque de ne pas les apprécier ! » pensa Kathryn. Mais, comment pouvait-il craindre cela ?

— Ma femme se joindra à nous plus tard. Voulez-vous prendre un apéritif ? demanda le père de Nazim. Yûsuf sait préparer des coktails savants...

— Mais...

Le père de Nazim prit cela pour un acquiescement. Elle avait été sur le point de s'étonner. Elle se rappela ce que Nazim avait dit : « Ce pays est de tradition musulmane et c'est cela qui compte. »

Quand ils furent installés dans le patio, Yûsuf vint les servir.

Nazim leva son verre en regardant Kathryn.

— Je lève mon verre à votre amitié naissante pour notre pays, dit-il tristement, comme s'il doutait de sa sincérité.

Madame Dafal entra dans un bruissement d'étoffe...

Nazim, toujours tendu, lui sourit et l'embrassa.

— Je suis confuse de vous avoir fait attendre, mais j'étais en prière, dit-elle simplement. (Elle regarda 'Aziza avec un air de reproche.) Tu es partie avant la fin de la prière, ma fille !

— Nous avons une invitée, mère, et il était de mon devoir de m'en occuper, dit la jeune fille d'une voix douce.

Madame Dafal tendit les mains vers Kathryn.

— Pardonnez-moi !... Je ne bois pas d'alcool, moi ! (Gentiment, elle menaça du doigt son mari.) Seuls les mécréants et les renégats en boivent !

Kathryn remarqua que 'Aziza s'était servi du jus d'orange...

Les plats servis au dîner étaient délicatement parfumés, exquis et raffinés.

Nazim se détendit enfin quand son père et Kathryn échangèrent des mots d'esprit.

Ils prirent le café sur la terrasse.

Les lumières de Sousse scintillaient dans la nuit, à travers l'oliveraie. Une grande paix régnait.

— Mère, voulez-vous nous excuser ? dit Nazim.

Je voudrais emmener Kathryn à la *Khaïma*. Cela l'amuserait...

— Nazim, tu es insupportable ! répliqua la mère. C'est bon pour les touristes !

— Mais, je suis une touriste ! s'écria gaiement Kathryn. J'ai soif de tout voir !

— Comme vous voudrez, ma chère ! Mais c'est un divertissement bruyant et un peu vulgaire, je pense.

Dans la voiture, Nazim évita de parler de ses parents. Il dit à Kathryn qu'il l'emmenait à une soirée bédouine traditionnelle.

— C'est une excellente idée ! dit Kathryn.

Sous une rampe de projecteurs, de superbes chevaux, montés par d'habiles cavaliers, galopaient et se cabraient. Ainsi étaient mises en relief l'adresse des hommes et celle des bêtes.

— Ils sont magnifiques ! murmura Kathryn.

— Les chevaux ou les hommes ? demanda Nazim sur un ton moqueur.

Il la tenait par le bras, comme le faisait Ashley pour montrer qu'elle était sienne.

— Les deux !

— Vous savez monter à cheval ?

— Oui. Mais je n'ai jamais monté de pur-sang comme ceux-ci.

— Vous devriez venir chez moi, à Djerba, Kathryn !

— Mais, je...

— Entrons, et je vous dirai pourquoi.

Au centre de la tente se trouvait une piste circulaire entourée de tables basses.

Nazim entraîna Kathryn vers le fond de la tente.

— Je sais par expérience que c'est le meilleur endroit pour voir le spectacle...

Un serveur apporta une cruche de vin et deux bols de terre.

Des musiciens jouaient, qui semblaient en transes, et deux danseuses ondulaient dans la lumière des projecteurs. L'air était vibrant, la terre avait un parfum d'éternité...

Un jeune homme se présenta à eux et tendit un collier de jasmin à Nazim.

Celui-ci l'offrit à Kathryn.

Le parfum du jasmin l'enivra bientôt. Le battement des tambours la berçait, lancinant, sensuel comme la danse.

— Que vouliez-vous dire à propos de Djerba ? demanda-t-elle pour montrer à son compagnon qu'elle était encore maîtresse de ses réactions.

— J'y possède une maison, au bord de la mer : *Al-Ouaha as-seghira. La Petite Oasis...* J'ai là-bas un ami qui a des chevaux. Je crois que vous vous y plairiez...

— Est-ce loin d'ici ?

— Vous viendrez ? Je n'osais l'espérer. Djerba est une île reliée au continent par un bras de terre. Le climat y est plus doux qu'ici. Ce n'est pas loin de Gabes et de Guellala, où l'on fait de très belles poteries.

— Pourquoi vous donnez-vous tant de peine pour moi ? Vous m'avez présentée à votre famille, et vous avez été si gentil !

— Cela ne me coûte pas d'être gentil avec vous, Kathryn ! (Le regard de Nazim s'assombrit.) Vous pouvez compter sur ma discrétion et ma correction envers vous si vous venez à Djerba... Il y a aussi un bungalow, tenu par une servante. Vous pourriez vous y installer en mon absence. Tout ce que j'ai vous appartient ! (Nazim baisa la main de sa compagne.) Kathryn, je comprends que des hommes enferment leur femme... Je voudrais être le seul à pouvoir vous admirer...

— Nazim, je vous en prie...

Kathryn porta son collier à ses narines pour dissimuler son trouble. Elle n'opposa pas de résistance quand il se pencha pour la prendre dans ses bras.

Unis dans une étreinte sensuelle, ils restèrent immobiles de peur de briser le charme.

Les charmeurs de serpents succédèrent aux danseuses et Kathryn vit les serpents se tordre et se balancer dans un nuage de fumée, au son toujours répété des tambours. Des acrobates firent des sauts périlleux, salués par de vibrants hourras, et le bruit lancinant des tambours.

Nazim arrêta la voiture devant l'hôtel. Ils décidèrent de continuer leur promenade et allèrent jusqu'à la plage.

Une frange d'or striait le ciel pâlissant. L'air était frais et pur, la mer était à peine agitée.

Nazim et Kathryn marchèrent le long du rivage, puis ils s'assirent pour regarder le soleil se lever.

Nazim prit la main de Kathryn et la baisa tendrement.

— « O lune de mes délices, qui ne décline point... »

Kathryn sursauta : il s'agissait d'un vers de 'Umar Khayyâm !

— Vous savez de qui est-ce, Kathryn ?

Elle fit oui de la tête.

— Connaissez-vous la suite ?

Il lui baisa légèrement les lèvres, l'empêchant de répondre.

Elle avait le sentiment que ce baiser était une conclusion.

Il soupira et dit dans un souffle :

— « O amour, ne pourrions-nous conspirer avec le Destin

Pour saisir dans son entier ce misérable ordre de la nature

Pour le briser en morceaux... et puis

Le reconstruire selon le désir de nos cœurs. »

Le chant du muezzin retentit.

Kathryn frémit.

Elle partit en courant vers l'hôtel.

Quand elle regarda par la fenêtre de sa chambre, elle vit Nazim. Assis sur le sable, il semblait contempler la mer.

Mais il se leva et quelques instants plus tard elle entendit vrombir le moteur de son automobile...

CHAPITRE V

Taha posa un verre de jus d'orange glacé près de Kathryn et celle-ci lui sourit. Allongée sur une chaise longue, elle regardait les nageurs dans la piscine. La brise soufflait doucement dans ses cheveux. Son séjour à Hammamet touchait à sa fin. Plusieurs fois elle s'était dit qu'elle devrait visiter le sud du pays... Elle n'avait pas perdu son temps pour autant : elle avait fait un certain nombre de croquis. Le dernier était celui d'un vieil homme et de son dromadaire. Elle était venue là pour voir travailler les artisans, mais le Destin avait parlé !

Elle avait perdu la notion du temps, et ne se demandait même plus pourquoi Nazim ne lui avait pas donné signe de vie. Leur soirée à Sousse n'avait donc été qu'un rêve ? S'étaient-ils vraiment enlacés en écoutant les tambours leur délivrer un message de passion ? L'avait-il vraiment embrassée au petit matin avec une immense douceur ? Il l'avait emmenée à Sousse, et ses parents l'avaient reçue pour lui prouver que la civilisation ne s'arrêtait pas sur les rivages européens de la Méditerranée.

Kathryn ferma les yeux pour refouler les larmes

qui lui étaient venues. Elle s'était éprise de lui et de ce pays ! Il fallait qu'elle réagît !

Elle alla s'asseoir derrière un rideau d'acacias pour pouvoir rêvasser tranquillement.

Etait-elle *vraiment* éprise de Nazim ?... Après tout, n'avaient-ils pas cédé qu'à des impulsions ?

Une silhouette apparut soudain.

— Vous ne vous méfiez pas du soleil et vous avez tort...

Kathryn se redressa.

— Nazim !

Il s'avança jusqu'à la chaise longue.

— Je suis désolé de n'avoir pas pu venir plus tôt, mais j'ai été occupé, Kathryn... Mon père m'a envoyé à Tunis pour superviser l'expédition de poteries de Guellala vers l'Allemagne fédérale... J'ai trouvé un prétexte pour convaincre mon père que je devais me rendre à Djerba. (Nazim eut soudain l'air inquiet.) Vous viendrez, n'est-ce pas, Kathryn ?

Kathryn sentit son cœur battre la chamade.

— Comme promis, vous disposerez du bungalow. Vous pourrez dessiner et faire de la poterie : j'ai fait préparer un tour et de l'argile. Nous pourrions quitter Sousse demain matin...

— Pourquoi vous donnez-vous tant de mal pour moi ?

— Vous êtes notre hôte, Kathryn... En acceptant mon invitation, c'est vous qui me faites une faveur. (Nazim prit la main de Kathryn et la baisa.) J'aimerais que vous m'offriez un dessin ou une poterie... Quand vous serez célèbre, je pourrai me vanter de vous avoir rencontrée alors que vous n'étiez qu'une débutante. Si nous ne nous revoyons pas, il me restera cela de vous...

Avec un sourire Kathryn lui tendit son carnet.

Il l'ouvrit au hasard et parut frappé d'émerveillement.

— Vous avez su capter notre âme !... Ce portrait est très réussi, Kathryn !

Pendant qu'il contemplait le dessin, Kathryn le regardait. Il avait le nez aquilin, une peau couleur de miel, des yeux bordés de cils très noirs... Mais aux commissures ses lèvres charnues se marquaient de plis amers que seul un baiser pourrait effacer. Sur son visage se lisait autant de douceur que de férocité. « La femme qu'il épousera devra tout donner ! se dit Kathryn. Mais elle recevra ! Il est si fort, si passionné ! »

Elle désigna du doigt un détail du dessin, et leurs mains se touchèrent. Comme électrisée, incapable de soutenir ce contact charnel, elle s'écarta et vit sa bouche se durcir. « Il croit que je me défie de lui ! pensa-t-elle. S'il savait... »

— A Djerba, vous verrez une grande variété de types physiques : des Arabes, bien entendu, des descendants d'esclaves noirs, des juifs... La tradition fait remonter à vingt-six siècles l'immigration des juifs... Dans la synagogue de Hara es-seghira se trouve l'une des plus anciennes Thora [*] du monde !

Du bout du nez, Nazim remonta une mèche de cheveux qui cachait les yeux de Kathryn...

— Il y a à Djerba des pur-sang arabes de toute

---

[*] Rouleau de parchemin portant le texte du Pentateuque.

beauté. Vous monterez avec moi, à l'aube, sur la plage, avant l'appel du muezzin ?

Kathryn sentit les lèvres douces sur sa joue, et poussa un soupir. Les lèvres de Nazim se posèrent sur sa bouche frémissante.

Nazim caressa son dos nu, la serra dans ses bras...

Il couvrit de baisers ses lèvres, ses paupières, son cou, sa gorge.

— Ne dites rien, Kathryn ! dit-il sur un ton de supplication. Laissez-moi savourer cet instant...

— Kathryn se ressaisit et Nazim la regarda, l'air sombre.

— Vous avez vu mes parents, Kathryn... Je n'ai pas le droit de vous compromettre.

— Me compromettre ?

— Vous ne comprenez donc pas ? Je n'ai rien à vous offrir. Les choses sont trop compliquées.

— Et moi ? Que faites-vous de moi ? Avez-vous seulement pensé à ce que je pourrais avoir envie de vous offrir ? Pensez-vous qu'il ne peut rien y avoir de durable entre nous ?

Kathryn avait les yeux qui brillaient de colère.

— Vous ne comprenez donc pas ? Je vous aime, Kathryn ! Je vous aime, mais je ne supporterais pas que vous soyez déchirée entre la famille de mon père et celle de ma mère, comme je l'ai été enfant. Oubliez ce qui vient de se passer ! Je suis impardonnable... Je voudrais vous faire visiter Djerba. Vous seriez ma reine. Je vous aimerai toujours, Kathryn, mais je sais que vous ne m'appartiendrez jamais ! Viendrez-vous ?

Kathryn ne savait plus si elle devait se réjouir de sa

déclaration d'amour ou se désespérer à l'idée que rien de durable entre eux n'était possible à ses yeux.

— Je viendrai, dit-elle en se demandant si elle n'avait pas encore rêvé ce moment de passion, cette étreinte fugitive.

Nazim resta avec elle tout l'après-midi. Juste avant de la quitter, il lui indiqua qu'il lui enverrait un taxi et que celui-ci la conduirait à Sousse.

Kathryn dîna tôt, puis elle prépara ses affaires.

Elle alla régler sa note d'hôtel.

Il y avait une lettre pour elle...

J'ai décidé de vous écrire pour que vous ne m'oubliiez pas, Kathy. Je partirai demain pour l'Amérique... Vous me manquez... Un océan et une mer nous séparent, mais ne laissez pas le temps nous séparer plus encore. Kathy, savez-vous combien je vous aime ? J'entends votre voix, je sens votre corps. Quand vous verrez le coq d'argile de Nabeul, pensez à moi... et à celui que je vous ai offert pour veiller sur vous. Quand vous aurez quitté la Tunisie, venez me rejoindre ! Ensemble, nous ferons revivre les anciens temples et les œuvres d'art. Prenez soin de vous. Je vous aime !

Justin.

Kathryn, désemparée, replia la lettre. Elle était attachée à cet homme-là !

Trois hommes l'aimaient, chacun à sa manière : Justin Lamborn, Nazim Dafal, Ashley Pemberton.

Les premiers la faisaient penser au coq d'argile, le dernier au fragile minaret, Dieu savait pourquoi.

A l'aube, un taxi vint chercher Kathryn. Elle fit ses adieux à Taha et le chargea de transmettre son meilleur souvenir à Dulcie. Elle laissa l'adresse d'*al-Ouaha* mais sans mentionner le nom de Nazim.

La poussière soulevée par les roues du taxi allait se déposer sur les cactus qui bordaient la route. Des marchands vendaient des oranges fraîchement cueillies, à la couleur vive soulignée par quelques feuilles d'un vert brillant.

Incapable de résister, Kathryn fit arrêter le taxi pour en acheter. Parmi les fruits se trouvaient quelques fleurs d'oranger. « Je me rappellerai ce parfum toute ma vie ! » songea-t-elle en se demandant pourquoi il la rendait si nostalgique : était-ce parce qu'elle sentait qu'il n'y avait pas de place pour elle dans ce pays et dans le cœur de celui qui l'avait tant troublée ?

Le taxi la déposa devant la demeure des Dafal et 'Aziza vint l'accueillir.

Yûsuf déposa ses bagages dans le coffre d'une limousine.

— Je suis heureuse que vous partiez avec Nazim ! dit 'Aziza. Yasmina veillera sur vous et vous protégera. C'est une fidèle servante, qui vous aimera comme elle nous aime tous. (La jeune fille parut soudain soucieuse.) Allez-vous épouser Nazim ?

Kathryn rougit.

— Non. Je suis certaine qu'il n'y a même pas pensé...

'Aziza parut étonnée.

— Alors pourquoi vous a-t-il amenée ? Vous êtes la première femme qu'il nous présente, et notre père attend avec impatience qu'il vous fasse sa demande.

— Et vous, 'Aziza ? Et votre mère ? Vous ne seriez probablement pas d'accord...

— Je n'ai pas à donner mon opinion, moi... Mais nous sommes sûres, ma mère et moi, que Nazim souhaite vous épouser.

— C'est absurde ! dit Kathryn en essayant de paraître amusée.

— Ma mère pense que Nazim devrait épouser une Tunisienne et se conduire en vrai musulman. ('Aziza soupira.) Il y a eu de nombreuses disputes à cause de cela, vous savez...

— Et vous, 'Aziza, songez-vous à vous marier ?

— Bien sûr ! Mais je me marierai ici et je vivrai ici. Je n'aime ni la France ni l'Angleterre que j'ai visitées. Nazim est différent : au bout d'un certain temps il ne tient plus en place et repart pour l'Europe. Je crois que cela lui fera le plus grand bien de vous épouser, Kathryn !

— Votre frère ne m'a pas demandé de l'épouser, 'Aziza, et il ne le fera pas. Ne vous méprenez pas : si je vais à Djerba, c'est pour voir le pays ! Et puis... Quelqu'un d'autre que votre frère m'a demandé de l'épouser, 'Aziza, et je pense que je vais répondre oui...

Ce fut à cet instant que Nazim apparut.

Il s'avançait, souriant largement.

Il prit Kathryn dans ses bras et lui baisa tranquillement les joues.

— J'apprécie votre exactitude ! lança-t-il gaiement. 'Aziza devrait prendre exemple sur vous. Les Tunisiens sont toujours en retard !

— N'écoutez pas ce qu'il dit, Kathryn ! Quand

vous serez à Djerba, vous verrez ! Là-bas, le temps ne compte guère ! Vous partez pour l'île des Lotophages qu'Ulysse eut bien du mal à quitter !

— C'est ce qu'on dit, en tout cas ! ajouta Nazim.

— Prenez garde, Kathryn ! Nazim pourrait vous garder là-bas... Il vous ferait boire du nectar de lotus et vous perdriez la mémoire...

Nazim feignit de se fâcher et 'Aziza s'enfuit en riant.

— Il est temps de faire nos adieux à mère, dit Nazim. Ne prêtez pas attention aux propos de mon infernale petite sœur, qui est censée être adulte, et même prête pour le mariage !

Madame Dafal apparut dans la grande entrée de marbre, vêtue de soie bleu pâle. Elle portait des sandales à lanières et à haut talon, et sa chevelure de jais était coiffée avec soin. Elle sourit, et Kathryn comprit pourquoi elle avait séduit M. Dafal.

Elle embrassa son fils.

— Au revoir, ma petite ! dit-elle en se tournant vers Kathryn.

Quand elle eut embrassé celle-ci, elle s'adressa à son fils :

— Occupe-toi bien d'elle, Nazim !... Et sois prudent !

Kathryn fut irritée : ils n'étaient tout de même pas des enfants !

'Aziza revint.

Elle et sa mère accompagnèrent Nazim et Kathryn jusqu'à la voiture.

Parfois, 'Aziza pensait qu'elle devrait suivre l'exemple de son frère, qui ne s'embarrassait pas de préjugés.

Elle avança la main vers la bonbonnière, mais elle se retint. Nazim lui avait fait remarquer qu'elle avait grossi. Elle devait ne pas céder aux tentations si elle voulait rester mince.

Elle alla dans sa chambre et fit quelques exercices...

Puis elle se vêtit d'un pantalon de toile et d'un chemisier, prit son sac et s'en alla sans même avoir averti sa mère.

L'arrêt de bus était heureusement tout près.

Dans le bus, elle réfléchit. Si elle avait dit à Kathryn qu'elle entendait ne pas quitter ce pays, c'était par esprit de provocation et non par conviction.

Peut-être irait-elle en France avant de se marier ? Peut-être ferait-elle ce que son frère lui avait conseillé de faire : étudier à Paris ?

Alors qu'elle descendait du bus, la voix du muezzin s'éleva.

Elle sortit de son sac un grand foulard. Elle se couvrit les cheveux et se masqua le visage, puis elle se dirigea vers la mosquée toute proche. Elle entra dans la partie réservée aux femmes pour accomplir son devoir.

'Aziza sortit de la mosquée en clignant. Elle remit son foulard dans son sac et s'éloigna.

Elle aperçut un couple de touristes qui étaient harcelés par des enfants. Elle sourit. Elle, on ne venait pas l'importuner !

Elle passa tranquillement devant des terrasses de cafés où des hommes étaient attablés, seuls. Certes, on la regardait avec insistance, mais elle ne courait aucun danger.

Il y eut un crissement de pneus et une main l'empoigna et l'attira.

'Aziza se retourna et vit un très bel homme.

Celui-ci sourit, embarrassé.

— Je suis désolé, mademoiselle ! (L'homme parlait avec un fort accent anglais.) J'ai cru que la voiture allait vous renverser...

— Peut-être m'avez-vous sauvé la vie, monsieur ! répliqua 'Aziza en souriant.

L'homme ramassa le plan qu'il avait laissé tomber.

— Pourrais-je vous être utile, monsieur ? Je connais très bien la ville...

L'homme parut heureux d'avoir rencontré une si aimable jeune fille...

— Je suis... Je suis un peu perdu ! Je cherche une rue près de l'avenue Bourguiba. J'ai réservé une chambre...

Quand l'homme lui eut donné l'adresse de son hôtel, 'Aziza lui indiqua quel chemin il devait suivre.

— M'accorderiez-vous une faveur, mademoiselle ? Je souhaite que vous consentiez à prendre un verre avec moi...

L'homme souriait.

'Aziza sentait son cœur battre très fort... Elle était déjà allée au café avec ses parents ou des amis, mais jamais seule avec un inconnu... Elle le suivit, ne sachant si elle devait être honteuse ou ravie...

En sirotant son jus de fruits, elle sentit son regard posé sur elle. Elle leva les yeux.

— J'étais en train de vous observer, mademoiselle...

— Si une jeune fille n'est pas fiancée, elle est imprudente de rester seule avec un homme, n'est-ce pas ? dit-elle d'une voix moqueuse.

— Qui vous a appris cela ? On dirait que vous répétez une leçon !

— Vous savez bien que j'ai raison !

'Aziza indiqua à l'homme quelles visites il pourrait faire.

Quand ils furent sortis de l'établissement, il lui demanda, avec beaucoup de précaution, de lui permettre de la photographier.

— Je voudrais garder un souvenir de notre rencontre...

'Aziza, ignorant les regards réprobateurs, prit la pose en souriant...

Un touriste français leur proposa de les prendre ensemble avec un appareil à développement instantané.

L'homme la rejoignit et posa le bras sur son épaule.

Un instant plus tard, ils étaient fixés sur le papier.

— C'est merveilleux ! dit-elle en regardant la photo que leur avait offerte le Français.

— Voulez-vous que je vous envoie les photos que j'ai prises ? Vos parents ne se fâcheraient-ils pas ?

'Aziza secoua la tête.

Elle inscrivit sur le carnet de l'homme son nom et son adresse.

— 'Aziza... Quel beau prénom ! Et quelle belle jeune fille ! J'aimerais... faire votre portrait !

— Vous êtes artiste ?

'Aziza pensait déjà à ce qu'elle pourrait raconter à ses camarades...

— En quelque sorte, oui... Je suis encore inconnu, mais je travaille beaucoup. Mon nom est Ashley Pemberton...

CHAPITRE VI

La piste de terre crissait sous les roues de la puissante voiture qui soulevait au passage de la poussière blanche. Nazim conduisait bien et Kathryn appréciait le confort du véhicule. Elle regardait défiler un désert de sable blanc, et, au loin, la ligne d'horizon se fondre dans le ciel pâle. Ils avaient déjà parcouru cent soixante kilomètres. Les gigantesques ruines romaines de l'amphithéâtre d'El-Djem, les oasis luxuriantes de Sidi El-Hani et d'El-Hencha étaient déjà loin derrière eux.

Ils firent une halte à Sfax, et Kathryn fut soulagée de remonter en voiture tant la chaleur était lourde. Ils remirent le déjeuner à plus tard.

En fin d'après-midi, ils s'arrêtèrent dans la belle oasis de Gabes : c'était un havre de verdure, au bord de la mer, qui contrastait singulièrement avec l'aridité du désert. Une caravane de dromadaires s'était arrêtée sous les palmiers, près d'un puits ; les chameliers se reposaient sur des tapis bariolés en buvant du vin de palme.

Ils mangèrent au bord de la mer, des hors-d'œuvre

et des mulets grillés sur du charbon de bois, buvant du vin de Kelibia.

Un homme leur présenta un panier de feuilles de palme empli d'oranges, de pêches et de dattes, mais Nazim secoua la tête.

— Il est temps de partir si nous voulons être à Djerba avant la nuit ! dit celui-ci.

Ils roulèrent sous le ciel qui s'assombrissait peu à peu, et ils arrivèrent sur une route bordée de chaque côté par la mer, et qui reliait El-Kantara à Djerba.

Ils s'arrêtèrent enfin devant un bungalow, non loin du rivage.

Une femme arriva en hâte et prit Nazim par la main, l'embrassa en remerciant Dieu de les avoir protégés. Il la repoussa gentiment, et elle accueillit Kathryn avec les mêmes transports de joie.

Nazim sourit avec indulgence.

— Il faut être patiente avec elle. Elle est très attachée aux anciennes traditions, et n'arrive pas à concevoir qu'on puisse venir d'aussi loin en une seule journée !

Nazim étouffa un bâillement.

— Vous devez être très fatigué ! dit Kathryn. Est-ce que... vous allez rester ici ?

— Yasmina est là pour veiller sur vous ! répondit-il en souriant. Elle me chasserait rapidement... La maison se trouve un peu plus loin.

Yasmina appela son jeune fils et celui-ci transporta les valises de Kathryn.

Nazim déposa un tendre baiser sur les lèvres de Kathryn.

— Bonne nuit, mon adorée ! dit-il, l'air moqueur.

Kathryn eut soudain envie de caresser ses cheveux noirs et de le voir détendu.

— Bonne nuit, et merci ! dit-elle simplement.

Yasmina accompagna Nazim jusqu'au bout du jardin et regarda la voiture disparaître dans la nuit. Elle revint, conduisit Kathryn dans une jolie chambre, et fit couler un bain parfumé. Une paix profonde régnait, et l'on n'entendait que le bruit des vagues sur le rivage de l'île des Lotophages.

Le matin, Yasmina vint ouvrir les volets.

Kathryn s'étira voluptueusement, et jeta un regard approbateur sur la chambre, qui était meublée simplement et ornée de beaux tapis. Elle fit sa toilette, revêtit une robe de coton, se chaussa d'espadrilles.

Elle entendit Nazim crier :

— Le déjeuner est prêt !

Il était assis dans la cuisine et buvait du thé.

Yasmina apporta du pain, du beurre, du fromage de chèvre et d'étranges choses.

— Ce sont ce que les Français nomment « figues de Barbarie », indiqua Nazim.

Kathryn fit la grimace en mordant dans l'un des fruits, ce qui fit sourire son compagnon.

— Kathryn, où irons-nous aujourd'hui ?

— Je croyais que vous aviez un travail urgent à faire ! dit-elle. (Elle avait envie de savourer tranquillement son petit déjeuner.) Moi, j'ai du travail.

— Vous n'avez pas l'air de savoir ce que signifie ce mot ! dit-il pour la taquiner.

— Je vais vous prouver que je le sais !

Kathryn se mit à crayonner en regardant Nazim. Elle tendit son carnet.

— Voyez ! On pourrait croire que je suis en vacances, mais…

Nazim rit, mais son regard trahissait un mélange de tendresse et d'émerveillement tandis qu'il examinait le dessin.

— Demain, je commencerai à travailler l'argile ! annonça Kathryn.

Nazim feuilleta le carnet, s'arrêta à un portrait de Mandy, et puis à celui d'un homme qu'il avait l'impression de connaître.

— C'est Ashley ! Vous l'avez rencontré une fois, au *Lamborn's Emporium*…

— C'est excellent, mais vous avez besoin de sujets nouveaux… Nous ferons une visite de l'île aujourd'hui. Ensuite, vous pourrez « voler de vos propres ailes »… Prenez votre appareil photo, et un chapeau de paille car le climat est trompeur !

Nazim insista pour faire d'abord une visite rapide. Ils retourneraient ensuite aux endroits qui auraient intéressé Kathryn.

Elle, elle regrettait de ne pouvoir passer la journée à paresser.

— Plus tard, vous goûterez vous aussi au lotus, et j'espère que vous n'aurez plus envie de partir, comme ce fut le cas d'Ulysse et de ses compagnons. Mais d'abord, vous devez travailler !

Ils firent une halte à Sedouikech pour manger des oranges à l'ombre d'un figuier de Barbarie.

Kathryn prit photo sur photo, et se tourna vers Nazim, l'air désespéré.

— Je ne peux pas tout prendre ! Tout est si nouveau pour moi ! Nazim Dafal, vous avez signé un pacte avec le diable ! Vous saviez que je tomberais amoureuse de votre pays !

— Aimez mon pays, Kathryn ! Aimez-le de toutes vos forces ! dit-il en lui prenant la main.

Kathryn regarda son visage empreint d'une certaine tristesse. Il n'avait pas essayé de l'embrasser... Au bungalow il y avait Yasmina et dans la voiture c'eût été dangereux. Mais lorsqu'ils s'étaient arrêtés pour manger des fruits, il s'était assis loin d'elle, sur une pierre. Elle ne parvenait pas à comprendre cet homme !

Nazim prit l'appareil, se recula et mit l'œil au viseur.

Il admira ses cheveux brillants qui tombaient en cascade.

La brise souffla soudain. La jupe de Kathryn fut soulevée et apparurent de longues jambes fines.

D'une main Kathryn rabattit la jupe et de l'autre elle retint son chapeau.

Nazim la regardait en souriant.

— Vous n'avez pas pris de photo ? dit-elle en s'approchant.

Elle voulut reprendre l'appareil, mais Nazim le mit derrière le dos.

— Que me proposez-vous en échange ?

— Que voudriez-vous ?

Il tendit la main vers elle mais la laissa retomber.

Il partit vers la voiture.

— Ne me montrez pas vos jambes, la prochaine fois ! dit-il en feignant l'enjouement. Il ajouta, sur un ton grave : Nous allons maintenant à un lieu sacré, dont l'accès est interdit aux femmes. Mais nous verrons l'extérieur : c'est la mosquée de Umm et Turkia, une mosquée *khârijite* [*] fortifiée, où seuls sont admis les musulmans.

Kathryn regarda son profil grave, et ressentit une étrange satisfaction à l'idée qu'il l'aimait d'un amour vibrant mais contenu. « S'il n'avait été qu'un émule tunisien de don Juan, il l'aurait montré ! » se dit-elle. L'instant d'après elle regrettait qu'il ne fût pas plus entreprenant !

Elle prit de nombreuses photos de la mosquée, puis ils se promenèrent dans les souks, où Kathryn s'intéressa aux objets d'artisanat et aux robes.

— J'hésite toujours à faire des achats, par peur de trouver mieux un peu plus loin, comme cela arrive souvent ! dit-elle.

— Cela vous irait à ravir ! dit Nazim en lui montrant une robe blanche.

— Je préférerais une robe de couleur, vert pâle, par exemple. Cela m'irait mieux.

— Vous porteriez du vert ?

— Pourquoi cette question ?

— C'est la couleur de l'islam...

Kathryn baissa les yeux, embarrassée. Mais elle se reprit et répliqua :

---

[*] Le « khârijisme » est un mouvement politico-social né au VIIe siècle. Pour les khârijites, le calife devait être désigné en fonction de ses qualités et non en fonction de sa parenté avec le prophète de l'islam ou en fonction de sa position sociale.

— C'est une couleur comme une autre ! Je pourrais vous dire que c'est aussi celle de l'Irlande, pays de ma grand-mère !

Nazim se renfrogna.

— Vous ne comprenez pas, Kathryn...

— Je vous en prie, ne prenez pas cet air sinistre ! Les choses ont changé en Tunisie ! J'ai vu des femmes se promener, travailler ! Votre mère et votre sœur ne sont pas malheureuses, il me semble !

— Et pourtant, mère a choisi pour 'Aziza un époux qu'elle ne connaît pas ! 'Aziza se soumettra, à moins que père et moi nous ne nous y opposions. Croyez-moi, les traditions ne sont pas mortes.

Arrivés au bout de la ville, ils parcoururent du regard l'immense désert, qui se fondait dans le ciel.

— Ce désert vous paraît sans doute monotone, et pourtant le paysage est extrêmement changeant, dit Nazim. Notre mentalité est aussi mystérieuse que ce désert... Par moments, je ne sais plus qui je suis ! Quand je suis à Paris, par exemple, je me sens parfaitement à l'aise, et puis...

— Et puis quoi ?

— Quand je reviens dans mon pays, je m'assieds à la lisière du désert et j'entends le message de mes ancêtres bédouins. Quand je suis à cheval ici, je remonte le cours du temps... Sentir l'odeur du sable chaud, boire l'eau fraîche d'un puits, naviguer dans une barque, attraper des poissons en les attirant avec de la lumière, c'est ce que faisaient mes ancêtres... Alors je me sens arabe. A présent, je vais peut-être vous surprendre plus encore, et vous prouver à quel point l'esprit de tolérance règne ici. Je vais vous emmener à Hara es-Seghira. (Il sourit, et ce fut comme un rayon de soleil.) Les juifs y sont depuis plus de vingt-cinq siècles. Ils vivent en bonne intelligence avec leurs voisins musulmans. La Tunisie a toujours été un creuset de cultures différentes.

Des ruelles montait le bruit de petits marteaux qui battaient le métal.

Nazim et Kathryn s'arrêtèrent devant la vitrine d'un artisan.

Kathryn entra, intéressée par le travail de celui-ci. L'artisan finissait de ciseler un plateau de cuivre.

Kathryn examina des bijoux, en essaya.

— Je vais prendre les boucles d'oreilles, dit-elle. Le bracelet est trop lourd.

— Si vous étiez une Berbère, vous en porteriez cinq au poignet et au bras, plus des colliers, des épingles à cheveux, et plusieurs ceintures... Une Berbère porte toutes ses richesses sur elle.

Nazim resta dans la boutique pendant que Kathryn allait regarder la vitrine d'à côté.

En sortant, il fourra un paquet dans sa poche.

Quand ils arrivèrent dans le nord de l'île, Nazim avait perdu son air mélancolique.

— Nous allons déjeuner ici et nous baigner ! dit-il.

Ils mangèrent de grosses crevettes roses et burent du vin blanc glacé en contemplant les petits voiliers qui se balançaient.

Kathryn prit un crayon, mais Nazim posa la main sur la sienne.

— Pas maintenant, Kathryn ! Quand vous dessinez, vous oubliez les gens qui vous entourent, dit-il d'un air triste et enfantin.

— Ne vous faites pas de souci ! dit-elle en souriant. Je ne pourrai jamais vous oublier, pas plus que je n'oublierai ce pays…

Elle essayait de prendre les choses à légère, persuadée qu'il ne désirait pas de relation durable avec elle. Elle voulait aussi éviter d'en arriver à ce moment d'attente frémissante qui avait précédé son premier baiser. Etait-ce voulu de sa part ? En tout cas, toute intimité était impossible dans l'établissement à la mode où ils se trouvaient.

Ils se rendirent sur la plage.

Kathryn enleva sa robe. Elle avait mis un maillot de bain noir d'une pièce profondément décolleté.

Elle appliqua sur sa peau une crème protectrice, et Nazim l'étala sur son dos. Ses doigts s'attardèrent sur ses épaules : une émotion magique les étreignit soudain.

Kathryn pensait que cela n'irait pas plus loin, car il y avait beaucoup de monde autour d'eux. Son cœur bondissait tandis qu'elle contemplait sa main fine et bronzée, la courbe puissante de ses épaules, ses hanches étroites.

Il l'obligea à se lever et à entrer dans l'eau.

Il s'éloigna rapidement, en soulevant des gerbes d'eau. Kathryn le suivit péniblement.

Ils revinrent sur la plage.

Nazim se sécha en regardant Kathryn qui démêlait ses cheveux. Son corps se cambrait gracieusement tandis qu'elle faisait cela…

Impulsivement, Nazim se pencha, déposa un baiser sur sa nuque, et fit glisser ses doigts dans ses cheveux.

Cela n'avait duré qu'un instant.

Il prit une serviette et se mit à éponger sa chevelure.

Ils n'osaient se regarder...

Kathryn ferma les yeux et se répéta qu'elle était stupide, que son émotion était superficielle. « C'est à cause du soleil et de la mer... » Elle savait bien pourtant qu'aucun homme ne l'avait tant troublée ! Elle comprenait qu'une femme se livrât corps et âme à un homme, non pour se plier à la tradition mais par amour...

Nazim rompit le charme :

— Et maintenant, au travail ! Vous allez visiter le musée de Guellala, et vous aurez une idée de ce qu'est la poterie traditionnelle. Il y a aussi des tissus. Si vous désirez faire du stylisme...

— Et vous, qu'allez-vous faire ?

— J'ai un rendez-vous d'affaires... Je viendrai vous chercher dans deux heures. Vous pourrez regarder sans sentir mon souffle sur votre nuque. Moi, « débarrassé » de votre charmante présence, je pourrai me concentrer...

Nazim sourit.

— Je crois que vous avez raison, dit Kathryn pour cacher sa déception.

Elle était déconcertée par la facilité avec laquelle il passait d'une humeur à l'autre. Il ressemblait en cela à Justin. Justin !... Il lui avait offert le mariage, la sécurité, l'amour, et le même dynamisme en affaires que Nazim. Avec lui, elle serait comblée. Cher Justin !

Nazim, lui, n'avait pas fait la moindre allusion à un mariage. Il entendait vivre sa vie sans elle. Il savait qu'il n'y avait pas d'avenir pour eux deux, et il était trop honnête pour faire de fausses promesses.

Quant à Ashley, il lui avait tout simplement offert de vivre avec elle !

Que dirait-elle si Nazim lui faisait la même proposition ?

Pendant deux heures, Kathryn visita le musée.

Quand Nazim la tira de sa rêverie, elle sursauta.

— Le temps a passé vite ! dit-elle en regrettant qu'il fût déjà là. Je n'ai pas eu le temps de tout voir !

Son carnet était empli de croquis et de notes.

— Vous reviendrez, Kathryn ! dit Nazim calmement.

Il était à présent distant. Pourquoi ce changement ?

— Vous avez des ennuis, Nazim ?

— J'espère que non, répondit-il en plissant le front. J'ai téléphoné à Sousse. Je dois me rendre là-bas pour essayer de résoudre un conflit d'ordre familial... Mère est bouleversée, car 'Aziza leur donne du souci.

— 'Aziza ? Mais elle est si douce, si obéissante !

— Je crois qu'elle aussi est déchirée... Mère voulait qu'elle fût soumise, mais elle ne l'entend pas ainsi !

Nazim montrait des signes d'impatience et Kathryn ne posa plus de questions.

Ils longèrent la côte, s'arrêtèrent dans le petit port

d'Aghir. Le ciel s'embrasait de rose et de turquoise. Au large, de petits bateaux ramenaient leurs filets, et le muezzin fit entendre son chant.

Au restaurant, Nazim s'adressa au serveur en arabe. Il commanda du couscous et du Mornag, un vin de pays, sans même songer à consulter Kathryn.

Ils mangèrent au crépuscule. La mer clapotait sur les bateaux amarrés sur la plage. Au large, il y avait des lumières, sans doute celles de bateaux de pêche. Ils entendaient une musique lancinante et plaintive, née de la mémoire d'un peuple.

Nazim appela le serveur et commanda du baklava.

— Qu'est-ce que c'est ? demanda Kathryn.

— Vous ne connaissez pas cela ? C'est un gâteau au miel et aux amandes...

Kathryn n'aimait pas les douceurs.

— Ne pourrais-je avoir un fruit ?

— Je suis désolé !... Pardonnez-moi, je n'ai pas pensé à vous demander votre avis...

L'embarras de Nazim fit sourire Kathryn. Mais elle se dit qu'il avait été fort soucieux tout au long du repas.

— Ne faites donc pas cette tête, Nazim ! Ce n'est pas grave...

Le regard de Nazim s'assombrit davantage.

— Qu'est-ce qui ne va pas, Nazim ? Vous ne voulez pas me le dire ?

Elle le suppliait du regard.

Il soupira.

— C'est ma faute, Kathryn... C'est moi qui vous ai présentée à mes parents. Je pensais, pauvre fou que j'étais, que mes parents seraient réunis par la sympathie qu'ils auraient pour vous. J'espérais que vous aimeriez mon pays, que vous devineriez mes difficultés... et que, plus tard, vous apprendriez à m'aimer.

— Nazim...

— Excusez-moi ! J'aurais dû savoir que ce serait impossible. Et à présent ma sœur se rebelle. Elle était satisfaite de son sort. Mais je lui ai mis dans la tête qu'elle pourrait s'émanciper... Et mère a trouvé une photo d'elle, prise tout récemment. Elle se trouvait en la compagnie d'un homme blond qui la tenait par les épaules !

— C'est tout ? s'écria Kathryn, soulagée. Nazim, vous n'avez jamais vu de garçons avec un appareil à développement instantané ? Ils proposent aux touristes de les prendre en photo et se font ainsi un peu d'argent de poche !

— Mais cela n'explique pas la présence de l'homme sur la photo !

— Il a peut-être voulu être photographié avec la jolie fille qui passait là ? Vous savez, toutes les jeunes filles se ressemblent ! Sans doute votre sœur a-t-elle voulu cette photo pour « frimer » auprès de ses camarades ! Je suis certaine qu'il y a une explication toute simple et qu'elle n'a rien fait de répréhensible...

Nazim sourit enfin.

— J'ai promis de me rendre auprès de mes parents et ne peux revenir là-dessus... Merci quand même ! Vous avez ramené les choses à leur juste valeur...

Elle était satisfaite de l'avoir convaincu.

Il faisait nuit quand ils arrivèrent au bungalow.

— Je pars pour Sousse demain, dit Nazim. Si

vous vous leviez tôt, je pourrais vous conduire à Guellala. Vous prendriez un taxi pour revenir...

Il embrassa Kathryn, mais son baiser fut sans
ardeur.

— Bonne nuit, Astre de ma nuit ! dit-il avec
insouciance.

Kathryn avait l'impression qu'elle allait le perdre
pour toujours.

La tête basse, elle rentra dans le bungalow.

Nazim regarda la lumière s'allumer dans la chambre de Kathryn, et vit sa silhouette se découper derrière l'écran de la moustiquaire. Elle se déshabilla et
revêtit un confortable kimono.

Assis dans la voiture, Nazim enfouit son visage
dans ses mains et se demanda pourquoi il était né.

Cette nuit-là il allait s'enivrer pour chasser son
tourment...

CHAPITRE VII

Nazim monta dans le petit avion et fit un signe de tête au pilote. Il avait la migraine.

L'avion survola Guellala.

Nazim regardait par le hublot... Kathryn s'était montrée calme et douce, triste aussi. Elle lui avait parlé de la mer et du travail qu'elle espérait avoir terminé d'ici son retour, trois ou quatre jours plus tard, mais elle n'avait rien dit de ses sentiments profonds. Elle n'avait manifesté aucune émotion quand il lui avait annoncé qu'il resterait peut-être plus longtemps chez ses parents.

« Qu'espères-tu ? se demanda-t-il. Pourquoi manifesterait-elle des sentiments qu'elle n'éprouve pas ? Elle a vu que j'étais déchiré, et elle sait qu'en lui demandant de m'épouser je l'exposerais à l'hostilité de mère. Elle ne peut aimer quelqu'un comme moi ! Elle apprécie ma compagnie, certes, mais comme tous les artistes, elle ne vit que pour son Art ! »

Il songea à Justin Lamborn. Lui aussi était amoureux d'elle, et il le comprenait ; comment pouvait-on résister au charme de Kathryn ? Comment ne pas la désirer ? Il se souvint du jour où Justin l'avait remer-

cié pour ses bons services, après l'avoir vu rire avec
Kathryn au magasin. Il sourit tristement : « A sa
place, j'aurais agi comme lui ! » Et puis il avait été
congédié en termes courtois et polis : « Merci de votre
aide, monsieur Dafal ! Je me sentirais coupable de
vous retenir plus longtemps, sachant que d'autres
affaires vous attendent. Mademoiselle Shepherd a
pris l'exposition en main, et je suis certain qu'elle s'en
tirera ! »

Nazim soupçonnait Justin de s'être plaint auprès
de son père, au sujet de la qualité des poteries, afin
qu'il fût rappelé en Tunisie pour régler le problème.
Nazim rit doucement : quelle avait dû être la surprise
de Justin en apprenant que Kathryn partait elle aussi
pour la Tunisie !

A Sousse, Nazim prit un taxi. Il faisait chaud
quand il arriva chez ses parents. Il se mit en gandoura
et alla trouver sa mère.

Celle-ci était assise à sa coiffeuse. Elle portait la
robe traditionnelle des riches Tunisiennes.

Elle se tourna vers lui et sourit.

— Nazim, je suis enchantée que tu ne renies pas
tes origines, dit-elle. Je suis fière que mon fils n'ait
pas honte de porter la gandoura !

— Mais, mère, c'est le premier vêtement qui me
soit tombé sous la main ! Que se passe-t-il exactement ?

Il se pencha pour l'embrasser, à la manière française, mais elle eut un geste de recul.

— C'est à cause de ta sœur, dit-elle en lui lançant
un regard accusateur, comme s'il était responsable.

— Tu es fâchée parce qu'elle s'est conduite

comme l'aurait fait n'importe quelle autre jeune fille ? Elle entend ne pas se marier contre son gré, n'est-ce pas ?

Nazim savait qu'il n'aurait pas dû parler sur ce ton, mais il ne poursuivit pas moins :

— Ainsi, tu me fais revenir à Sousse pour que j'intervienne dans ses affaires ! Mais, c'est une adulte à présent ! Vous ne faites que récolter ce que vous avez semé, toi et papa ! Qu'attendez-vous d'elle et de moi ? Nous n'avons pas demandé à naître !

Il vit le visage bouleversé de sa mère, mais cela ne l'arrêta pas.

— Tu as épousé quelqu'un qui venait de France contre le désir de tes parents, n'est-ce pas ? Tu devrais comprendre mieux que quiconque que nous avons aussi nos désirs !

— Arrête, Nazim ! s'écria la mère. Tu ne sais plus ce que tu dis ! Comment oses-tu me parler sur ce ton ?

— Avoue, mère, que tu jouis d'une grande liberté ! Tu te conduis en musulmane intègre, mais tu jouis de tous les privilèges d'une épouse d'un homme d'affaires... libéral !

— Rends-toi compte à quel point nous sommes bouleversés ! dit la mère d'une voix calme.

— Tu es en colère parce que, pour une fois, les choses ne se passent pas selon tes désirs. 'Aziza est honnête, et elle a suffisamment de bon sens pour avoir le droit de se promener seule dans la vieille ville, où tout le monde la connaît et où elle ne court aucun danger. Elle est bien trop intelligente pour être condamnée à un mariage précoce, à avoir des enfants et à

passer ses journées à manger des pâtisseries avec
d'autres femmes !

Madame Dafal ôta ses doigts d'une boîte ouvragée
et porta la main sur sa hanche ronde.

— Pourquoi es-tu aussi amer ? demanda-t-elle en
changeant habilement de sujet. Ce n'est pas à cause de
'Aziza ni à cause de ton retour à Sousse ! Je ne comprends pas ce qui a pu te mettre dans une telle colère.
Tu as de l'argent, tu peux voyager, te mêler à l'élite
tunisienne et à l'élite française. (Elle sourit.) Tu es très
beau... Beaucoup de femmes te trouvent séduisant,
n'est-ce pas ?

— Oui... Et puis, non ! Le problème n'est pas là.
Si je choisissais une Tunisienne, vous l'accueilleriez
avec joie, mais si j'épousais une femme d'origine différente ? Elle serait malheureuse en Tunisie : tu passe-
rais ton temps à lui glisser à l'oreille qu'une femme
doit obéissance à son mari, pour lequel elle doit tout
sacrifier, y compris sa carrière.

— Je ne ferais jamais une chose pareille !

— Peut-être pas ouvertement, mais tu ferais pres-
sion sur elle, et je ne sais pas quelle serait ma réaction.
Si je m'installais en France, serais-je heureux ?
N'entendrais-je pas là-bas l'appel du désert ? Je
reviendrais, peut-être...

— Si ton épouse t'aimait sincèrement, elle te sui-
vrait, dit Mme Dafal, satisfaite. Tu songes à mademoiselle Shepherd en ce moment, n'est-ce pas ? (Elle
eut l'air de peser le pour et le contre.) Je crois que tu
aurais beaucoup de problèmes si tu l'épousais. Elle
tient trop à son indépendance. J'espérais...

— Qu'espérais-tu, mère ?

— Rien, rien...

— Vous espériez que je prendrais Kathryn pour
amie, et que plus tard, le moment venu, vous me pré-
senteriez une jolie musulmane, jeune et pure... (Il vit
qu'il avait visé juste.) J'ai bien peur que tu ne te sois
méprise sur mon compte, mère ! J'avais deviné tes
pensées, et c'est pourquoi je n'ai jamais amené une
femme à la maison. J'ai invité Kathryn parce que je
l'aime. Est-ce pour nous faire expier ta pauvre faute
que tu veux nous imposer un mariage selon la tradition ? Toi, tu as su prendre tes responsabilités. Comment peux-tu être aussi sévère avec les autres ? Je n'ai
pas eu la force de demander à Kathryn de m'épouser,
parce que je savais que tu ne l'accepterais pas. Elle
serait, elle aussi, déchirée. Et père est tout aussi sec-
taire que toi ! Depuis mon enfance, tu t'es servie de
moi pour t'opposer à la famille de père... Je ne sais
plus où se trouve la Vérité !

— Nazim ! C'est la première fois que tu parles
ainsi ! Tu me condamnes, mais je n'ai rien fait de mal.
J'ai été une bonne mère et une bonne épouse. Ma foi
est sincère. Je ne regrette pas d'avoir épousé ton père,
mais nous avons eu des problèmes. Je suis heureuse de
vivre à Sousse, où je suis respectée. A l'étranger, je ne
suis plus rien ! Ton père est bon et je l'aime, comme le
doit une bonne épouse. Je lui appartiens. Non,
Nazim, ne le nie pas !... Je suis musulmane et je connais mes devoirs ! Ton père voyage souvent et
j'accepte ses absences. Mais Kathryn Shepherd ne
supporterait pas une telle situation. Elle exigerait ta
fidélité. Mais si elle poursuivait sa carrière et que vous
soyez séparés... Lui resterais-tu fidèle ? Et elle ?

L'idée que tu m'as attribuée n'étais pas mauvaise, en définitive...

Nazim regarda sa mère comme si elle lui était devenue étrangère.

— Tu ne comprends donc pas ? Je l'aime, et je veux l'épouser, même si cela devait me faire vivre en exil !

Il avait compris qu'il n'avait pas d'autre solution que de demander à Kathryn de l'épouser et de se plier à sa volonté.

— Et quelle a été sa réponse ? demanda la mère avec un regard acéré. Dois-je te féliciter ?

— Je ne lui ai pas fait ma demande, dit-il, soudain envahi par une grande lassitude. Il ne s'est rien passé entre nous. (Il voyait les yeux gris de Kathryn, et sentait ses lèvres sur sa joue.) Je n'en ai pas eu le courage...

Nazim ne remarqua pas la lueur de satisfaction dans le regard de sa mère.

— Nous avons assez parlé de tes problèmes, mon fils ! Que comptes-tu faire, au sujet de ta sœur ? J'ai trouvé ceci dans sa chambre...

Nazim prit la photo que sa mère lui tendait, mais il n'y jeta qu'un coup d'œil distrait.

— Ne penses-tu pas qu'il serait justé que 'Aziza soit présente ? Avant de décider quoi que ce soit, je voudrais pouvoir lui parler ! (Il posa la photographie.) On ne peut attendre le retour de père ? Soit ! Mais nous devons entendre 'Aziza !

— Tu ressembles de plus en plus à ton père ! murmura la mère.

Elle sortit dans le couloir et appela sa fille.

'Aziza ne fut pas longue à arriver. Elle avait l'air penaud.

Elle lança un regard sur Nazim, un regard qui reflétait curieusement de l'espoir et de la méfiance.

Nazim embrassa affectueusement sa sœur.

— Alors, que se passe-t-il ? J'espère qu'on ne m'a pas fait revenir pour rien !

— Nazim, je suis si contente de te voir ! dit 'Aziza avec un sourire. Je n'ai rien fait de mal !

La mère ne cacha pas son mécontentement : Nazim avait réduit à néant ses efforts, et la jeune fille n'avait plus peur d'éventuelles représailles. Mais elle ne dit rien, sachant que Nazim ne supporterait pas d'être interrompu et qu'elle n'avait plus aucun pouvoir sur lui.

'Aziza fit le récit de sa rencontre avec le bel Anglais.

— Il était très gentil et très communicatif. Il s'intéressait à la vieille ville et a pris beaucoup de photos. Et puis un touriste aimable nous a photographiés ensemble. (La jeune fille soupira.) Et puis il m'a laissée, après avoir dit que j'étais jolie...

Nazim regardait sa sœur. Tout s'était passé exactement comme Kathryn l'avait imaginé. Il se sentait soulagé d'avoir suivi ses conseils, et de n'avoir pas détruit son image de grand frère en jouant le rôle du père. Il regarda la photo de plus près. 'Aziza riait, et l'homme qui était à côté d'elle souriait, le bras nonchalamment posé sur ses épaules. Il ne voyait rien de scandaleux dans cette photo.

— Il est quoi ? anglais ? allemand ? suisse ?

— Anglais ! C'est un artiste ! ('Aziza avait dit cela sur un ton d'admiration.) Un jour, il sera célèbre.

— Qui le dit ?

— Moi ! Dommage que tu ne l'aies pas vu... Il est si gentil et si beau ! Il m'a promis de m'envoyer d'autres photos.

— Je vois. Et ce beau jeune homme s'appelle...

— Ashley... Ashley Pemberton.

Nazim fronça les sourcils : ce visage et ce nom lui rappelaient quelque chose. C'était peut-être l'un des étudiants qu'il avait rencontrés en France ou en Angleterre.

— Sais-tu où il habite en Angleterre ?

— Non ! dit 'Aziza en secouant la tête d'un air malheureux. S'il ne m'envoie pas les photos, je ne le reverrai pas...

Nazim jeta un coup d'œil oblique vers sa mère, qui hochait la tête. Pensait-elle que 'Aziza devrait être mariée, c'est-à-dire à l'abri des tentations ?

— Et tu as envie de le revoir ? demanda Nazim à sa sœur.

'Aziza répondit par un sourire.

— Tu veux te faire des amis, 'Aziza... Mais, toi, qu'as-tu à offrir ?

— Je ne comprends pas...

— Petite sœur, si tu veux plaire, tu dois aller à Paris et faire des études, apprendre la vie... Alors seulement tu seras l'égale de n'importe quelle femme... et de n'importe quel homme.

A ces mots, la mère se leva, furieuse. Elle sortit majestueusement de la pièce.

'Aziza était effrayée.

— Nazim, tu dois m'aider. Quand mère est là, je lui obéis en tout parce que j'y suis obligée...

La jeune fille éclata en sanglots.

— Je te comprends mieux que quiconque, dit-il d'une voix triste, en lui caressant les cheveux. Ma petite 'Aziza, nous devons nous soutenir réciproquement. Tu dois me donner ta parole d'honneur de ne pas trahir ma confiance : je t'aiderai à te libérer...

Ils se rendirent ensemble au café de la grand-place.

— Si ton ami est encore à Sousse, il passera par ici, dit Nazim. Veux-tu que nous attendions un peu ?

Ils restèrent assis un moment, puis Nazim emmena sa sœur au magasin pour qu'elle choisisse une nouvelle robe.

'Aziza gagnait chaque jour en beauté et en grâce : avec son visage épanoui, sa chevelure épaisse, ses jolies jambes, elle paraissait avoir dix-huit ans.

Il admirait une robe de soie couleur de jade, brodée de fleurs ivoire et de feuilles d'un gris argenté.

— C'est exquis, n'est-ce pas ? dit la directrice en souriant. J'espérais que vous reviendriez avec Mademoiselle. Cela s'assortirait parfaitement avec sa splendide chevelure...

'Aziza caressa l'étoffe et regarda Nazim. Son visage était tendu.

— Offre-la-lui, Nazim ! Kathryn serait ravissante.

— Mais, je n'ai pas le droit de lui offrir une robe !

Il se souvint de ses paroles : « J'en voudrais un vert pâle... »

— Que penserait-elle si je la lui offrais ? se demanda-t-il à voix haute.

— Elle penserait que tu l'aimes, Nazim... Tu es

amoureux, n'est-ce pas ? Elle serait ravie que l'homme qu'elle aime lui offre une chose aussi jolie !

— Mais, elle n'est pas amoureuse de moi !

— Ah ! les hommes ! soupira 'Aziza.

— Ma petite sœur a grandi ! dit Nazim en souriant.

— Achète-la !... Tu l'aimes, je le sais, et je crois qu'elle t'aime. ('Aziza parut réfléchir.) Dis-lui que je la lui offre... S'il te plaît, Nazim !

Nazim glissa quelque chose dans la poche de la robe et demanda qu'on en fît un paquet et qu'on l'expédiât par avion.

Ils retournèrent au café et s'y réinstallèrent.

Mais ils n'eurent pas plus de chance...

Nazim raccompagna sa sœur, et en profita pour mettre un pantalon de toile et un tee-shirt. Pour la première fois, il s'était senti mal à l'aise en gandoura dans sa ville natale !

Il dîna dehors, pour ne pas avoir à affronter sa mère, et regarda les passants.

Un homme passa en courant devant le restaurant en agitant des tickets.

— J'ai réussi à en avoir pour aller jusqu'à Gabes ! Dépêche-toi, sinon on va le rater !

Nazim vit deux hommes en pantalon de toile comme lui, sac au dos.

Il sursauta. L'un des deux n'était-il pas...

Il se précipita, mais il était trop tard.

Yûsuf vint ouvrir à Nazim et lui indiqua que sa mère avait laissé un mot à son intention. Son père

avait téléphoné, annonçant qu'il avait été retardé. Il
voulait que Nazim allât à Tunis pour s'occuper des
affaires et traiter avec les clients étrangers.

*A moins de désobéir à ton père, tu ne pourras
retourner à Djerba,* avait conclu la mère.

Nazim se demanda comment sa mère avait rap-
porté leur discussion et même si elle l'avait
rapportée...

Il décida d'appeler Kathryn.

Après un moment d'attente, il entendit la voix
ensommeillée de Kathryn.

« — Je vous ai réveillée ? »

« — C'est vous, Nazim ? »

« — Oui ! J'espère être la seule personne qui vous
appelle à cette heure indue ! dit-il gaiement. Vous avez
déjà tant d'amis que cela à Guellala ? »

« — J'ai travaillé toute la journée. L'argile est
merveilleuse, et j'ai commencé deux vases et un buste,
à la grande consternation de Yasmina, qui croit que je
ne tiendrai pas le coup si je ne fais pas la sieste. Je dois
reconnaître que je suis fatiguée ! Je me suis couchée
tôt ce soir. »

« — Ainsi, vous n'avez pas eu le temps de vous
ennuyer de moi ? Vous devez me promettre de ne pas
m'oublier ! »

« — Mais, vous serez bientôt de retour ! J'essaie
de travailler le plus possible... »

Nazim s'éclaircit la gorge.

« — Je ne peux revenir immédiatement,
Kathryn... Les affaires... Je serais absent pendant une
semaine. »

Il avait l'impression qu'il lui disait adieu...

« — Dommage ! »

« — Vous allez me manquer... Ne m'oubliez pas ! Si vous avez besoin de quoi que ce soit, téléphonez à Sousse, ou venez me rejoindre à Tunis. Vous logeriez chez mes amis, et vous visiteriez les ruines de Carthage et le musée de Tunis... »

« — Non merci, Nazim ! Je suis très bien ici. Je vais travailler, faire quelques excursions, mais... Vous allez me manquer !... (La ligne se mit à grésiller.) Revenez dès que possible, Nazim ! J'aurai tant de choses à vous montrer ! »

« — Je vous appellerai de Tunis... Et puis... vous aviez vu juste en ce qui concerne 'Aziza. Ce n'était qu'une rencontre fortuite. Mais je pense qu'il faut l'envoyer faire des études à Paris. Elle a insisté pour vous faire un cadeau. Vous le recevrez demain. J'ai ajouté un présent personnel. Portez-le en pensant à moi, Kathryn à la douce chevelure... »

La communication fut coupée.

En faisant ses valises, Nazim allait se remémorer les paroles de Kathryn. Sa voix avait été chaleureuse, elle avait été ravie de l'entendre. Il pria pour que Djerba continuât d'opérer son sortilège sur elle jusqu'à son retour...

CHAPITRE VIII

Kathryn sortit de l'eau et revint sur la plage. Elle aperçut une tente qui avait été montée devant la maison de Nazim et qu'elle n'avait pas remarquée en sortant. Yasmina l'attendait dans la cuisine, avec 'Ali, son fils, qui lui indiqua que le campeur était un Anglais, qu'il était venu pour la voir mais qu'elle n'avait pas voulu le laisser camper près du bungalow, ce qui eût été inconvenant.

— Mais, je ne connais personne en Tunisie ! s'écria Kathryn.

'Ali haussa les épaules : l'Anglais savait qu'elle habitait ici !

Un instant, Kathryn pensa à Justin. Mais cela lui ressemblait peu !

Elle alla dans sa chambre et revêtit la superbe robe vert pâle. L'étoffe soyeuse caressait sa peau. Elle ouvrit une petite boîte et mit le superbe collier assorti à ses boucles d'oreilles : il pendait au creux de son décolleté, où il se terminait par un gland d'argent. Elle le replaça dans la boîte, enleva la robe et se mit en pantalon de toile et chemisier.

Elle alla dans la véranda. Là, elle regarda la statuette qu'elle avait modelée. Nazim... Mais quelque chose n'allait pas ! Peut-être que... Elle se remit au travail. Elle ne s'était pas trompée : il fallait qu'il fût en djellaba !

Elle se redressa et aperçut une silhouette dans le jardin.

Elle recouvrit la statuette d'un linge humide. Pour la garder d'un regard indiscret.

Elle reconnut l'Anglais dont avaient parlé Yasmina et 'Ali. Ashley !

Celui-ci pénétra dans la véranda, souriant largement.

— Ashley ! Comment es-tu arrivé ?

— C'est tout l'accueil que tu me fais, Kathy ? Moi qui croyais que tu allais te jeter dans mes bras !

Le sourire du nouveau venu avait disparu.

— Mais je suis heureuse de te revoir ! Je suis surprise parce que je te croyais à des milliers de kilomètres d'ici !

— Et tu te croyais à l'abri, n'est-ce pas ? Il est vrai que ce monsieur a bien fait les choses ! Un vrai nid d'amour !

Kathryn sentit monter la colère. Elle avait horreur de ces sarcasmes.

— Tu te trompes ! Je suis venue pour travailler, et je suis seule. Ni Nazim ni moi ne voyons les choses comme toi, et tu devrais le savoir !

Ashley retrouva son sourire.

— Je pensais qu'il avait eu plus de chance que moi ! On dirait que tu as un certain nombre d'hommes à tes pieds, Kathy ! Combien y en a-t-il ? Quatre ?

— Non, trois... Ne sois pas stupide, Ashley !

N'essaie pas de me faire dire ce que je n'ai pas dit. Je suis ici pour travailler et visiter le pays, c'est tout. Tu sais très bien que j'avais décidé de visiter la Tunisie avant que Nazim ne m'invite.

Yasmina entra, jeta un œil soupçonneux sur le visiteur, servit du thé à la menthe. Elle claqua la porte derrière elle.

— Elle n'apprécie pas ma visite, dit Ashley.

— Elle veille sur moi, c'est tout !

Kathryn se mit à rire devant l'air embarrassé d'Ashley.

— Avertis-moi le jour où tu entreras dans un harem, Kathy !

— Si tu es venu pour me donner des conseils, tu peux repartir ! dit-elle en lui tendant un verre. Si tu as quelque chose de sérieux à dire, dis-le ! Mais, comment as-tu réussi à me trouver ?

— Je connaissais ton adresse à Hammamet... Là, j'ai rencontré Dulcie Smith. Elle m'a communiqué ta nouvelle adresse. Quand je suis arrivé ici, j'ai appris que ce bungalow appartenait à un homme qui avait travaillé au *Lamborn's Emporium* et grande a été ma surprise. Tu n'avais rien dit à personne !

Ashley s'installa confortablement dans son fauteuil et eut un sourire satisfait.

Kathryn n'était pas mécontente de le revoir, en définitive.

Il désigna la statuette recouverte.

— Qu'est-ce que tu es en train de faire ?

— Rien d'intéressant... Juste des essais avec l'argile du pays.

Ils continuèrent de parler. Plusieurs fois Yasmina

entra et sortit. Il était évident qu'elle exerçait une sur-
veillance. Finalement, elle s'installa dans un coin de la
véranda.

— Je suis passé par Gabes, dit Ashley. C'est
superbe. Je veux y retourner pour faire des portraits.
Les visages sont d'une incroyable noblesse !

Kathryn avait la même opinion.

« Ashley adore déjà ce pays ! pensa-t-elle. Mais il
pourrait bien le détester bientôt ! »

— Tu as terminé la fresque ? demanda-t-elle. Je
connais un endroit qui pourrait être le sujet d'une
fresque. Tu as entendu parler de Matmata ?

— C'est bien là qu'il y a des habitations troglo-
dytiques ?

Kathryn évoqua ces cavités dans lesquelles des
gens avaient vécu.

— Ce doit être extraordinaire ! dit-elle. J'avais
songé à y aller, mais j'ai commencé quelques poteries.

— Allons, Kathy, avoue que tu ne veux pas y aller
avec moi !

— C'est faux ! Nous pourrions y aller... après-
demain !

Ashley soupira.

— Est-ce que je peux m'installer ici, Kathy ? C'est
plus confortable que ma petite tente !

Il posa les pieds sur une chaise.

— C'est impossible. Et retire tes pieds ! Yasmina
n'a pas l'air contente ! Sois sérieux, Ashley ! Laisse-
moi travailler demain et allons à Matmata après-
demain.

— D'accord ! (Ashley se leva avec nonchalance.)
Tu viens te baigner ?

— Je viendrai plus tard, quand j'en aurai terminé, répondit Kathryn en montrant du doigt la statuette.

Ashley haussa les épaules et s'en alla.

Il sauta par-dessus les marches mais retomba maladroitement sur ses pieds.

Il s'éloigna en boitant, se retourna et envoya un baiser à Kathryn. Celle-ci lui fit un signe de la main. Ashley était vraiment adorable !

Kathryn retira le linge et examina la statuette. Elle eut l'impression que Nazim la regardait avec un air de reproche. Elle rit, au grand étonnement de Yasmina, pour chasser cette impression.

« Ce que je peux être stupide ! Comme s'il me voyait vraiment, comme s'il pouvait savoir qu'Ashley est là ! »

Yasmina regarda par-dessus son épaule.

Elle reconnut aussitôt Nazim et sourit.

« En voyant cette statuette, Nazim comprendra-t-il quels sont mes sentiments ? » Kathryn sursauta : et si Nazim ne revenait pas ? N'allait-elle pas recevoir une lettre de lui dans laquelle il lui annoncerait qu'il ne pourrait pas la revoir avant son départ pour l'Angleterre ?

Elle oublia la promesse qu'elle avait faite à Ashley.

Elle déjeuna, se reposa dans sa chambre.

Elle mit son maillot, revêtit une robe de plage.

Elle allait se baigner.

La mer était douce et transparente. De petits poissons s'enfuyaient à son approche. Elle nagea jusqu'à un rocher, y grimpa, s'assit.

Elle vit un nageur s'approcher. Ashley !

— Magnifique ! dit Ashley quand il l'eut rejointe. La petite sirène en chair et en os ! Tu serais un superbe sujet de tableau, petite Kathy !

— Je ne savais pas qu'il y avait des requins dans les parages ! lui répondit-elle en souriant.

Il fit semblant de la menacer avec des algues. Elle redécouvrit le plaisir de rire avec lui, ayant oublié ses inquiétudes.

Ils étaient insouciants et étaient liés par une amitié sincère.

Ils nagèrent, lézardèrent, et revinrent sur la plage.

Ils parlèrent si longtemps qu'il furent surpris de voir la nuit tomber, et d'entendre le muezzin appeler à la prière depuis le minaret voisin.

'Ali vint avertir Kathryn que le dîner était prêt.

— Au revoir ! dit-elle avec insouciance. Je suis fatiguée et j'ai encore des choses à faire. Rendez-vous après-demain à 7 h 30 ! Nous partirons tôt pour pouvoir visiter aussi Médenine.

— Ne puis-je rester avec toi, Kathy ? dit Ashley sur un ton mélodramatique.

Kathryn fit la grimace.

— Tant pis, Kathy ! Je vais donc rentrer dans mes appartements...

Ashley se promit de réitérer sa demande. Il fallait qu'il profitât de l'absence de « l'autre » !

Au bar du *Grand Hôtel,* Ashley rencontra deux Australiens qui projetaient une sortie en mer à bord d'un bateau de pêche, en compagnie d'un Tunisien. Ils lui proposèrent de se joindre à eux. Ils se poussèrent pour lui faire de la place.

— Ça t'intéresse ? demanda Clem, un gars aux larges épaules et au visage buriné.

Ashley hocha affirmativement la tête.

— Je pourrai dessiner...

Trevor, le plus âgé des deux, commanda une tournée de bière, et ils convinrent de partager les frais de la journée.

Le guide qui devait les accompagner les rejoignit. Il commanda une *boukha* [(*)].

Il sortit un paquet de cigarettes, en offrit aux autres, en prit une.

Ashley aspira une bouffée et se mit à tousser violemment.

Il écrasa la cigarette, au grand étonnement du guide.

Pour se donner une contenance, il proposa à celui-ci de faire son portrait.

Quand il eut terminé, il offrit son œuvre au Tunisien. L'homme s'exclama si fort et si longuement que beaucoup vinrent voir.

Ashley se trouva bientôt entouré de touristes qui lui demandaient de faire leur portrait... Deux heures plus tard il avait gagné suffisamment d'argent pour s'offrir plusieurs sorties en mer.

[(*)] Eau de vie de figues.

Ce fut d'un pas nonchalant — mais il était très satisfait — qu'il retourna à sa tente.

Le matin, Ashley, vêtu de vêtements chauds et muni de matériel à dessin, partit rejoindre les autres.

Il ignorait que Yasmina l'avait épié. 'Ali lui avait indiqué que l'Anglais avait prévu de passer la journée en mer, mais elle avait voulu être sûre.

Yasmina alla réveiller Kathryn et ouvrit les volets.

Kathryn vint déjeuner. Yasmina lui remit alors la lettre qu'une Anglaise avait apportée pour elle.

Non, elle n'avait pas voulu rester... Elle devait se rendre à l'aéroport pour y accueillir des compatriotes.

Kathryn se souvint que Dulcie Smith lui avait promis de lui faire parvenir son courrier.

Elle reconnut l'écriture pleine de Justin.

Il l'informait de tous ses faits et gestes, et lui faisait comprendre que la distance qui les séparait n'avait nullement atténué son amour. Il lui parlait des temples inca, des bijoux, et des somptueux couchers de soleil.

Si seulement vous étiez auprès de moi, mon bonheur serait complet. Kathryn, Kathryn chérie, venez me rejoindre et je serai l'homme le plus heureux du monde. Nous visiterions ensemble ce pays magnifique. Vous découvririez que la Tunisie est très loin d'atteindre à la magnificence de ce pays...

Il poursuivait en suggérant qu'elle vivrait à ses côtés dans le luxe et qu'elle rencontrerait des gens très intéressants.

Kathryn jeta un coup d'œil au-dehors et vit un

vieil homme en djellaba qui conduisait ses chèvres. La vie était si simple ici… Beaucoup plus simple que celle à laquelle Justin était attaché, plus simple aussi que celle que menaient les Dafal à Sousse. Et cette vie lui avait apporté une sérénité qu'elle n'avait jamais connue. Elle parcourut le reste de la lettre, souriant à certains passages, fronçant les sourcils quand Justin lui enjoignait de le rejoindre.

Elle posa la lettre sur ses genoux. Le vieil homme et ses bêtes avaient disparu, et le ciel bleu pâle se teintait d'or.

Un bateau passa et elle entendit le chant des pêcheurs, rythmé par une flûte et une darbouka. Là se trouvait la vraie réalité, et c'était agréable. Kathryn se sentait immergée dans cette culture, Justin l'était dans une autre, à l'autre bout du monde. Pourquoi ne venait-il pas la rejoindre, lui, s'il avait vraiment envie de la voir ? N'était-elle pas injuste ? Elle n'envisageait pas de le rejoindre, pouvait-elle lui reprocher de ne pas venir ? Mais, avait-elle vraiment envie de le revoir ?

Elle revint à la lettre…

Je sais que vous ne viendrez pas, et je me sens incapable de rester ici trois mois, seul. En un sens, je vous en veux, ma chérie, car j'aime à décider de ma vie, mais je suis résolu à écourter mon séjour. Je vois partout votre visage, je sens votre présence… Vous m'avez transformé ! Je ne suis plus l'homme que j'étais et cela parce que je vous ai rencontrée. Dites-moi que vous m'épouserez quand nous nous serons retrouvés, Kathryn ! Je sais que nous nous connais-

sons peu, mais j'ai l'impression de vous connaître
depuis toujours.

Justin.

Kathryn alla se planter devant sa statuette.

Pouvait-on aimer plusieurs hommes ?

Heureusement, 'Ali vint la détourner de cette
question qui sans doute aurait horrifié un certain
nombre de ses amis — femmes et hommes — et *a for-*
tiori Nazim et Justin.

'Ali resta un moment figé devant l'image de son
maître.

Mais il réagit : il était venu dire à Kathryn qu'on la
demandait au téléphone.

« — Kathryn Shepherd à l'appareil ! »

« — Kathryn ? C'est 'Aziza. Je voulais vous
remercier... »

« — 'Aziza ? Je suis ravie de vous entendre !
Mais, je ne comprends pas... C'est moi qui devrais
vous remercier ! Votre cadeau est splendide, et j'en
prendrai grand soin... quand je partirai... »

Kathryn avait prononcé ces trois derniers mots
avec peine...

« — Non, Kathryn. C'est à moi de vous remercier
de m'avoir aidé à trouver une certaine liberté ! »

« — Qu'ai-je donc fait de si héroïque ? »
demanda Kathryn en riant.

« — Avant de vous rencontrer, je m'étais résignée
à épouser l'homme que ma mère avait choisi pour
moi. Mais Nazim a convaincu mon père que je devais
aller à Paris pour y faire des études. Je me suis aper-

çue, grâce à vous, que si je ne voyageais pas je ne connaîtrais rien de la vie… »

« — Je crains que vous ne surestimiez mon influence sur votre frère, 'Aziza. Ils vous auraient autorisée à partir même si je n'avais pas été là. A dire vrai, je connais fort peu Nazim… Et je ne le reverrai peut-être pas avant de repartir pour l'Angleterre. Il devait rester à Tunis une semaine, mais je crains qu'il n'y reste plus longtemps ! »

« — Sans vous, Nazim aurait été fâché que je m'affiche avec un inconnu ! »

« — Vous avez eu des nouvelles de cet homme ? »

« — Non… Peut-être m'a-t-il oubliée… A moins qu'il n'ait pas encore fait développer les photos. (Kathryn perçut une note d'espoir dans ce que venait de dire 'Aziza.) De vous avoir connue, de l'avoir rencontré, cela m'a aidé à me rendre compte que je ne pourrai passer ma vie en Tunisie. Kathryn, m'aiderez-vous quand je serai en Europe ? Vous vous marierez peut-être avec Nazim, et vous aurez un appartement à Paris… Je pourrais vous rendre visite ? Ce serait si drôle… Kathryn, dites que vous voulez bien ! »

« — 'Aziza, écoutez-moi ! dit Kathryn en tremblant. Je connais à peine Nazim… Je… Nous… Il n'y a rien entre nous ! »

« — Kathryn, c'est le Destin ! Il y a tant de choses entre vous ! Nazim vous aime, il me l'a dit… Et je suis une femme et je sens que vous l'aimez, vous aussi. Dieu favorisera votre union, je le sais ! »

'Aziza raccrocha, laissant Kathryn dans la confusion la plus complète. S'il avait avoué à sa sœur son amour pour elle, pourquoi restait-il si loin et ne lui

téléphonait-il même pas ? Pourquoi avait-il dit tristement qu'il ne pourrait l'épouser ?

Mélancolique, elle mit une dernière touche à la
statuette et la mit à sécher à l'ombre. Il lui semblait
qu'elle était sur le point de s'animer...

Elle prépara ses affaires pour le lendemain,
s'assura qu'elle avait des films et demanda à Yasmina
de préparer un repas froid.

A la tombée de la nuit, elle s'assit dans la véranda
pour écouter le bruit des vagues qui léchaient les
bateaux « remisés » sur la plage. Puis elle alla flâner
sur le rivage et vit des pêcheurs en train de décharger
leur cargaison de poisson.

— Tu as réussi à t'arracher à ton travail ?

— Oh ! Ashley ! Bonsoir ! Tu as passé une bonne
journée ?

Ils étaient tous deux contents de se retrouver.

Ashley lui raconta sa journée. Il était allé dans le
port d'Adjim où mouillaient les bateaux des pêcheurs
d'éponges.

— Clem a pêché des éponges... En Australie il est
« pêcheur de corail », mais il n'a pas réussi à battre
les plongeurs du pays ! Ils descendent quelquefois
jusqu'à vingt mètres et remontent les éponges sur des
tridents. J'ai fait quelques dessins. Si nous allions au
bungalow ?

Ils y allèrent.

Yasmina, qui avait compris que la présence d'Ashley ne constituait pas une menace, avait mis le couvert
pour deux, dans la véranda... Ashley lui manifesta sa
joie à force de sourires.

Yasmina leur servit du couscous.

Ashley aperçut la statuette, qui en séchant devenait gris pâle et projetait son ombre noire sur le mur.

— C'est la plus belle chose que tu aies faite ! dit-il.

Il considérait la statuette comme une œuvre d'art, et non comme un témoignage d'amour...

— Il a un visage très plastique. Déjà, à Bridge-path, j'avais eu envie de faire son portrait... Mais tu n'avais pas favorisé les rencontres entre nous, n'est-ce pas ? (Ashley sourit de son mot.) J'espère que tu ne tiens pas à lui ? Pensons donc à nous deux, Kathy !

Kathryn lui retourna un sourire énigmatique.

— Tu t'imagines des choses, Ashley ! Ne parlons ni de Nazim ni de nous deux si nous voulons ne pas nous fâcher !

— Qu'es-ce que tu penses de cela ? dit-il en lui tendant son carnet.

Il y avait des croquis d'elle au bord de la mer, des portraits de marins, et une très bonne étude d'une jeune Tunisienne.

Kathryn regarda cette étude avec attention.

— Elle me rappelle quelqu'un ! dit-elle.

— C'est une jeune fille que j'ai rencontrée à Sousse. Adorable petite !... J'ai pris des photos d'elle. J'ai promis de les lui envoyer ! Rappelle-moi à l'ordre si j'oublie de le faire... Regarde !

Kathryn regarda les photographies et reconnut le visage souriant de 'Aziza.

— Le monde est petit ! s'écria-t-elle.

CHAPITRE IX

Ashley désigna du doigt un bateau qui sortait du port d'Adjim et dit :

— C'est celui qu'a pris Clem ! C'est un fou de plongée !

Le minibus tressauta en passant sur la passerelle d'embarquement et s'arrêta sur le pont du ferry.

Pendant quelques instants Kathryn put apercevoir les pêcheurs d'éponges sur leur bateau.

Ashley fit signe à Clem.

— Je viendrai peut-être demain ! cria-t-il.

Clem lui répondit d'un signe de la main.

Ashley toussa, la gorge irritée parce qu'il avait trop crié.

— Bon sang ! dit-il. Je croyais que ce climat me ferait du bien !

Kathryn le regarda d'un air désemparé.

— Tu n'es pas venu seulement pour me voir ? Tu es malade ?

— Quand j'ai parlé de ton voyage à mon médecin, il m'a suggéré de partir moi aussi pour un pays sec et chaud. Ce doit être le Destin ! (Ashley haussa les épaules.) En venant en Tunisie, je joignais l'utile à l'agréable. Je commençais à me sentir mieux, mais je suis resté un peu trop longtemps dans l'eau hier, et j'ai pris froid.

— Tu n'as pas plongé, dis ? Le médecin t'a conseillé le repos et l'air pur, et tu devrais suivre ses conseils !

Ashley prit la main de Kathryn.

— J'ai besoin que tu t'occupes de moi. Sans toi, je fais n'importe quoi...

Elle essaya de se dégager, mais il la retint.

— Inutile de résister ! Je t'ai pour moi tout seul aujourd'hui ! Tu feras comme si j'étais ton seul ami ! N'est-ce pas, Kathy ? (Ashley faisait les yeux doux.) Rappelle-toi que j'ai été très malade !

— Tu es insupportable ! dit-elle avec un sourire d'indulgence. Tu sais très bien que je n'ai pas l'intention de vivre avec toi. Pourquoi essayer de forcer le destin ? Sois correct avec moi, et nous passerons une journée agréable.

Il déposa un baiser sur sa main.

— C'est bon ! dit-il.

Il regarda les autres voyageurs.

Après Djorf, la piste poussiéreuse qui menait à Bou Grara et Médenine s'étendait dans le désert. La traversée fut pénible et, à Médenine, Kathryn appréciâ de pouvoir s'asseoir dans un café pour boire du jus d'orange. Elle observa les visages bruns et farouches des nomades qui se trouvaient là. Ces hommes ne ressemblaient pas aux Djerbiens : leur regard était plus dur, ils paraissaient distants. « Ils appartiennent au peuple du désert et sont habitués à une vie de privations et de dangers ! » se dit Kathryn.

Ils remontèrent dans l'autobus qui les conduisit à Métameur, où ils virent les ghorfas et un pittoresque marché de dromadaires.

Ashley et Kathryn prirent comme sujet de dessin les grottes haut perchées sur les falaises d'ocre.

Puis ils s'assirent au bord de la route pour déjeuner, essayant d'imaginer quelle avait été la vie des troglodytes.

Ashley effleura la joue de Kathryn.

— Nous formons un beau couple, Kathy ! dit-il.

Elle lui répondit par un sourire et le regarda avec tendresse.

— C'est vrai ! dit-elle gaiement. (Elle lui montra son dessin.) Est-ce que ça va ? Je n'arrive pas à obtenir une perspective parfaite.

Il se pencha par-dessus son épaule et ajouta quelques traits.

Il sentait la chaleur de sa joue contre la sienne...

Il se recula : pourquoi ne parvenait-il pas à se libérer de son emprise ? Elle serait à lui, ou alors sa vie n'aurait aucun sens !

Ils plièrent bagage à contrecœur et remontèrent dans l'autobus. Ils s'assirent à l'arrière et Ashley posa le bras sur ses épaules. Ils étaient fatigués mais heureux.

Ashley déposa un baiser sur sa joue, et quelques passagers manifestèrent leur réprobation du regard.

Ils somnolèrent jusqu'à l'arrivée, et Ashley s'arracha à sa douce torpeur.

— J'ai gagné un peu d'argent, Khaty ! Assez pour faire une ou deux sorties en mer... et pour t'inviter ce soir.

— Mais, j'ai de l'argent au bungalow ! protesta-t-elle.

Ashley posa un doigt sur les lèvres de Kathryn.

Il lui adressa un sourire chaleureux, mais son regard était triste.

— C'est moi qui t'invite aujourd'hui ! Ne gâche pas ma journée, Kathy ! Sois compréhensive !

Elle se radoucit.

— Nous dînerons à l'hôtel et nous y danserons, dit-il. Nous irons nous promener sur la plage.

Kathryn le regarda à la dérobée, mais ne vit qu'innocence dans son regard.

— Très bien ! dit-elle. Mais, je vais me changer.

Yasmina vint l'accueillir à la porte, et 'Ali leur servit d'interprète. Il lui indiqua que Nazim avait téléphoné.

— A-t-il laissé un message ? demanda Kathryn.

— Il voulait vous parler, mademoiselle. Il rentrera bientôt...

— Il n'a pas dit quand exactement ?

Kathryn sentit sa gorge se serrer, comme chaque fois qu'elle savait qu'elle allait le revoir.

— Peut-être demain ! dit 'Ali.

Kathryn était dans une grande confusion. Elle était heureuse que Nazim ne l'eût pas oubliée, mais aussi un peu ennuyée. Pourquoi annulerait-elle la soirée qu'elle avait promise à Ashley ? Parce qu'un homme qui n'avait aucun droit sur elle et qui l'avait laissée sans nouvelles depuis une semaine avait appelé pour annoncer qu'il rentrerait « peut-être » le lendemain ? Cela ressemblait un peu à un ordre !

Ashley l'attendait dans la véranda. Elle se souvint de la lettre de Justin, et espéra qu'il ne l'avait pas vue.

Elle sourit et il se pencha pour l'embrasser.

Ils partirent, longèrent le rivage.

La nuit tombait et une musique s'élevait.

Ils se tenaient par la main et Kathryn était ravie d'être auprès d'Ashley. Elle se prit à regretter d'avoir rencontré Justin et Nazim... Si elle avait été aussi émancipée que les autres étudiants, elle aurait été heureuse avec Ashley ! Si..., si... Elle pressa sa main.

— Nous avons passé une journée merveilleuse...

— Elle n'est pas terminée, Kathy !

Comme il était agréable de n'avoir d'autre souci que de se nourrir, de dessiner, de se promener ! Ils regardèrent des charmeurs de serpents en mangeant des poissons grillés et en buvant du vin.

Ashley insista pour lui offrir de la Thibarine, une liqueur forte du pays.

Puis ils dansèrent, savourant le plaisir d'être ensemble. Ils dansèrent tout à tour au rythme envoûtant de mélodies arabes et de chansons anglo-saxonnes endiablées. Ashley étreignait Kathryn, lui murmurait des mots d'amour, improvisait de longs poèmes ou faisait de pétillants mots d'esprit... Tout était merveilleux !...

« Il est faux d'affirmer qu'une femme ne peut aimer qu'un seul homme à la fois ! se disait Kathryn. Il y a plusieurs manières d'aimer, voilà tout ! Ce soir, parce que nous sommes l'un avec l'autre, j'aime Ashley... Ashley, ma douce lumière, mon pâle minaret, mon ami, artiste comme moi... Mon tendre amour ! »

Ses cheveux bouclés se paraient de reflets d'or...

Malgré les protestations de Kathryn, Ashley commanda de la *boukha*.

Ils recommencèrent à danser, et il la tint enlacée, baisant ses cheveux, ses joues, ses paupières. Elle se sentait irrésistiblement attirée, et répondait avec la même ferveur à sa passion.

Quand il lui baisa la bouche, il la sentit frémir et s'abandonner au contact de ses lèvres.

Il l'emmena sur la terrasse plongée dans l'obscurité et l'embrassa ardemment, fougueusement. Ses mains caressaient sa chevelure et s'y attardaient. Il la serra si fort contre lui qu'elle se sentit vaincue par son désir...

Elle essaya enfin de se libérer de son étreinte, mais Ashley était plus fort qu'elle.

— Non ! murmura-t-elle dans un souffle. Ashley..., je t'en supplie...

— Ne me supplie pas, Kathy ! Si j'avais osé plus tôt, tu serais déjà mienne. Kathy, je sais que bientôt c'est toi qui me suppliera. Allons nous promener sur la plage.

Kathryn se dégagea brusquement et le gifla, mais elle fut aussitôt effrayée par son geste.

— Ashley... Je ne voulais pas !... Tu es ivre !

Consternée, elle vit ses yeux se remplir de larmes.

— Je te raccompagne à ta tente, Ashley ! Et ne me dis pas que tu as le vin triste ! (Elle le tira.) Viens, mon petit ! Laisse-moi te ramener gentiment chez toi. Tout ira mieux demain, tu verras !

Ashley s'agrippa à elle.

— Je ne suis pas saoûl ! dit-il. Je tiens encore debout. Je suis assez lucide pour voir que tout est fini

entre nous, Kathy… Quand tu m'as giflé, j'ai su que
tu ne lui aurais jamais fait ça, à lui ! Kathryn,
accepterais-tu de m'épouser ?

Elle le fit s'asseoir sur le mur qui dominait la
plage.

— Ashley…, si tu m'avais demandé cela il y a six
mois, je t'aurais peut-être dit oui, mais à présent c'est
impossible. Trop de choses se sont passées…

Elle remarqua sa détresse et l'embrassa avec tendresse.

— Voilà, Ashley !… Je t'aime bien, je t'aimerai
toujours, mais d'une certaine façon… Nous nous
entendons bien, nous sommes tous les deux artistes et
donc un peu fous…

— Alors, pourquoi pas ?

— Je suis désolée, Ashley…

Comme un enfant passe du rire aux larmes, Ashley changea brusquement d'humeur.

— Je sais pourquoi tu ne veux pas de moi, Kathy !
Lui, il t'offre tout, plus que je ne pourrais jamais
te donner. Ne le nie pas, j'ai lu sa lettre ! Moi qui
croyais qu'il y avait quelque chose de sérieux entre toi
et Dafal ! J'aurais dû me douter que c'était avec
l'autre.

— Avec Justin ?

— Oui, avec Justin ! Tu l'épouseras quand il sera
rentré d'Amérique, n'est-ce pas ?

— Je n'ai jamais dit que je l'épouserais !

— Je n'ai pas lu la lettre en entier. La sorcière qui
veille sur toi m'observait, mais j'en ai lu assez pour
savoir qu'il apportera toutes les richesses dont peut
rêver une femme. Il t'emmènera en haut de la monta-

gne et te montrera le monde. Tu seras tentée par le
Diable, Kathy, et il t'offrira ce dont tu auras envie : la
sécurité, le conformisme, etc. (Ashley eut de nouveau
l'air contrit.) Epouse-moi, Kathy, je t'en prie !

Un instant, Kathryn fut tentée de le suivre, mais
elle se reprit. Elle savait qu'elle se serait méprisée
d'avoir été faible...

— Je ne le peux pas, dit-elle doucement. A présent, il est temps d'aller te coucher. Je viendrai te voir
demain matin.

Elle l'embrassa, caressa ses cheveux.

— Bonne nuit, Ashley !

— Au revoir, Khaty... Kathy, sois heureuse !

Le matin, quand Ashley se réveilla, il frissonna car
il faisait frais. La plage était déserte et la mer clapotait
paresseusement, le ciel était rose argenté. Il se leva.
L'eau lui parut hostile, et il se demanda s'il devait sortir comme prévu.

Le jour se leva et il entendit l'appel cristallin du
muezzin. Ce chant lui parlait de l'éternité, de la fuite
implacable du temps...

Ashley rangea sa tente, alla faire sa toilette, puis,
sac au dos, il partit pour l'hôtel.

Là, il commanda un déjeuner copieux.

Clem et Trevor arrivèrent. Clem montra à Ashley
une éponge qu'il avait pêchée la veille. Il assura qu'il
l'avait trouvée à vingt mètres de la surface et qu'il
voulait descendre encore plus bas.

— Il y a de l'argent à gagner dans le commerce

des éponges, dit-il. J'aimerais bien revenir l'année prochaine pour monter ma propre affaire.

Tout en déjeunant, Ashley les écoutait, mais les deux hommes lui paraissaient irréels. « Pourquoi suis-je ici ? se demanda-t-il. Pourquoi vais-je avec des gens que je n'aime pas ? » Il regarda leur visage rougeaud, leurs larges épaules, entendit leurs rires, et se surprit à regretter de n'être pas resté dans sa tente. Mais, il ne pouvait plus reculer sans les vexer ; tout avait été prévu. Ils devaient partir avec Habib et ses deux fils, tous trois pêcheurs chevronnés.

Ashley se dit que la journée serait longue, car ils ne rentreraient pas avant que chacun ne fût allé à la limite de ses possibilités physiques. Un client de l'hôtel, qui avait loué un hors-bord, les rejoindrait en mer pour filmer leurs plongées. Dans le regard d'Ashley passa un voile de tristesse.

Du bateau Ashley vit le bungalow, la tente. Kathryn était là et il lui fit de grands signes, mais elle ne le vit pas.

« Ce sera toujours comme ça ! se dit-il. Je pourrais marcher sur les mains, elle ne le remarquerait pas ! »

Et pourtant il l'aimait...

Il prit son carnet et ébaucha une esquisse, mais ses traits manquaient de rigueur car le bateau balançait.

Découragé, il s'installa à la proue et descendit son chapeau sur ses yeux. Il pensa à Kathryn, puis à Justin Lamborn. Il maudit celui-là, à cause de son élégance, de son aisance et de sa richesse.

Un avion de tourisme se posa en vrombissant sur la petite piste d'atterrissage, là-bas, sur le rivage.

Sans savoir pourquoi, Ashley pensa à Nazim Dafal... Il se souvint de la statuette qu'avait faite Kathryn, certainement son chef-d'œuvre. Mais cette fois il pensa moins à l'œuvre d'art qu'au témoignage d'amour qu'elle constituait. Seule une amoureuse avait pu garder en mémoire et restituer chaque détail... Lui, il se sentait capable de faire le portrait de Kathryn de mémoire, sans effort, parce qu'il l'aimait passionnément. Elle aimait donc Nazim Dafal ! Pauvre Kathy ! Si tout ce qu'elle lui avait dit de la famille Dafal était exact, cela signifiait que les ennuis ne faisaient que commencer pour elle... Contrairement à ce qu'il avait cru, Kathryn n'aimait pas Justin Lamborn mais Nazim Dafal. Il comprenait qu'elle fût éprise de ce Nazim. Mais cette compréhension n'empêchait pas qu'il eût les larmes aux yeux. Si Kathryn avait voulu épouser Justin, il aurait essayé de la faire changer d'avis, en lui expliquant qu'elle perdrait son indépendance et son insouciance, mais là... La statuette avait été modelée avec tant de finesse et de tendresse qu'il ne pouvait que s'incliner. Il ne pourrait pas la reconquérir ! Le rideau tombait au théâtre des illusions... « Je n'aimerai jamais quelqu'un aussi intensément que Kathy ! » songea-t-il.

Un jet d'écume le tira de sa rêverie. Clem venait de plonger.

Les Tunisiens nageaient à la surface de l'eau, et leur corps bronzé brillait au soleil tandis qu'ils déliaient les cordes qui retenaient les paniers, se préparant à la première plongée.

Clem se pinça le nez et plongea, s'enfonça profondément dans les eaux sombres. Il reparut, retira sa pince et reprit son souffle.

— C'est incroyable ! dit-il. Je ne vois même pas le fond.

Habib cracha, inspira profondément et fendit l'eau sans effort apparent, descendant avec une grande économie de mouvements.

Au bout d'un moment Ashley s'inquiéta. Etait-il possible qu'un homme restât sous l'eau si longtemps ?

Mais Habib reparut.

D'une main il tenait un sac rempli d'éponges, de l'autre un trident.

Le visage de Clem s'était assombri. Sans doute celui-ci était-il jaloux de Habib...

Ashley prit son carnet et fit fiévreusement le portrait de l'homme au trident... Un serviteur de Neptune ! Ce faisant il reprit goût à la vie. Il regarda avec intérêt plonger les uns et les autres.

A midi, Habib mangea très peu et il interdit à ses fils d'accepter la bière que Clem leur offrait. Celui-ci semblait d'ailleurs légèrement ivre, et Habib paraissait être irrité de son comportement.

Clem mangea du pain, du fromage et deux pâtisseries tunisiennes. Trevor mangea autant mais ne but que de l'eau. Ashley but de la bière et mangea des fruits et du fromage.

Après le déjeuner, les fils de Habib jouèrent des airs ensorcelants à la *gasba* [*], accompagnés à la darbouka par leur père.

---

[*] Flutiau.

Tandis qu'ils se reposaient, le soleil arriva au zénith.

Clem s'agitait, toujours vexé de sa piètre performance : il n'avait remonté que deux éponges. Ashley se mit à pêcher en la compagnie de Trevor. Il n'aurait pas couru le risque de plonger, lui. Cependant, il était triste.

Quand il fit moins chaud, Habib se prépara à replonger, mais il se mit en colère quand il vit Clem se déshabiller.

— Vous avez assez plongé ! s'écria-t-il. Nous, nous connaissons les dangers...

— Pour qui nous prenez-vous ? répliqua Clem. Nous ne sommes pas des amateurs ! Nous pêchons le corail, et nous ramenons des morceaux que vous ne pourriez même pas soulever !

— C'est mon bateau, vous savez !

— D'accord, c'est ton bateau ! Mais laisse-moi plonger une dernière fois... J'ai vu une belle pièce, mais je n'avais plus assez d'air dans les poumons... Cette fois, je la remonterai !

Clem prit un trident et un panier sans plus se soucier de Habib.

— Ils savent ce qu'ils font, eux ! dit Ashley. Ils connaissent cela depuis fort longtemps...

— Ils sont têtus, surtout, répliqua Clem. Ils veulent m'empêcher de remonter trop d'éponges : elles se vendent cher, et ils veulent se les réserver !

— Tu ferais mieux de les écouter ! dit Trevor. Tiens, voici le hors-bord !

Le bateau s'arrêta bientôt tout près.

— Vous arrivez juste ! lança Ashley au conducteur du hors-bord. Ce sont les dernières plongées avant notre retour au port.

L'homme sortit sa caméra et fit un panoramique sur le bateau de pêche, s'attardant sur le magnifique corps d'athlète du plus jeune des fils de Habib. Habib cracha une nouvelle fois quand Clem prit la pose, le trident à la main.

— Filmez-moi ! cria Clem en évitant le bras de Trevor qui tentait de le retenir.

Il plongea, maladroitement à ce qu'il sembla à Ashley.

Habib et ses fils plongèrent aussitôt.

Ashley se pencha, mais il ne vit que les eaux sombres et des algues qui flottaient au gré du courant.

Trevor plongea à son tour et nagea la tête sous l'eau.

Il leva vers Ashley un regard angoissé.

— Je vais devoir y aller ! lança-t-il. Rejoins-moi ! Tu tiendras la corde !

Ashley hésita puis il retira son pantalon et sa chemise.

Il se laissa glisser dans l'eau froide et fit du surplace. Il tint la corde et la laissa s'enfoncer dans l'eau...

Habib et ses fils refirent surface, mais il était trop absorbé pour penser à les alerter.

Il vit l'eau se troubler et il redoubla d'attention.

Trevor apparut, tirant un corps inanimé.

Il tendit la main, attrapa la corde mais la lâcha aussitôt.

Ashley vit que ses forces s'épuisaient et alla à sa rencontre. Les fils de Habib replongèrent.

Ils réussirent, avec l'aide de Habib, à hisser Clem sur le bateau.

Hisser Trevor, qui était à bout de forces, fut à peine moins difficile...

Trevor regarda Habib faire le bouche-à-bouche à Clem.

Le pouls était faible...

Il fut décidé de transporter Clem en hors-bord. On le passa d'un bateau à l'autre.

Le hors-bord démarra dans un nuage d'écume.

Ashley, les yeux mis-clos, le regarda s'éloigner.

Au-dessus d'eux, des nuages couraient. La brise s'était levée.

Ashley frissonna, mais n'eut pas la force de prendre une serviette pour se sécher.

Trevor et Habib et ses fils hissèrent les voiles.

Habib priait Dieu de leur venir en aide tandis que Trevor jurait.

Ils étaient tous trop occupés pour remarquer que les lèvres d'Ashley avaient bleui, qu'il respirait avec difficulté. Il ressentit une douleur fulgurante... Puis plus rien. La douleur s'était brusquement calmée. C'était si bon d'être étendu, de regarder passer les nuages...

CHAPITRE X

La sonnerie du téléphone retentit, et Kathryn alla répondre. Elle était satisfaite qu'Ashley fût parti comme il l'avait prévu. Elle espérait qu'il réfléchirait, que la compagnie d'autres hommes lui ferait oublier ses préoccupations sentimentales.

« — Kathryn Shepherd à l'appareil ! »

« — Bonjour ! »

Kathryn flageola.

« — Nazim ! Je sais que vous avez téléphoné hier ! J'étais à Médenine avec Ashley Pemberton. Nous avons vu les ghorfas et nous avons passé la journée ensemble. »

« — Ashley Pemberton ? »

« — Oui ! Souvenez-vous ! Vous l'avez rencontré une fois à Bridgepath, au magasin... C'est l'homme que 'Aziza a rencontré à Sousse. Le monde est petit, n'est-ce pas ? Il m'a promis d'envoyer les photographies à 'Aziza... »

Kathryn essayait de dissimuler son trouble en disant des banalités. Elle aurait voulu avoir le courage de lui crier : « Je vous aime ! »

« — Ashley est venu en Tunisie sur ordre de son

médecin, à cause du climat chaud et sec. Il campe sur la plage... »

« — Je suis ravi que vous ne vous soyez pas ennuyée ! » dit Nazim sur un ton réservé.

« — J'ai d'abord été ennuyée de le voir, car je craignais qu'il ne m'empêche de travailler, mais il s'est montré discret. C'est un garçon sympathique ! »

« — Ainsi, vous avez été trop occupée pour vous ennuyer de moi ? »

« — Ne croyez pas cela, Nazim ! Vous m'avez beaucoup manqué, au contraire ! (Kathryn sourit.) Vous étiez d'ailleurs là, dans la véranda, en train de me regarder... »

« — Il est temps que je sois auprès de vous, si j'en juge par ce que je viens d'entendre ! »

Elle aurait voulu lui crier : « Nazim, rejoins-moi vite et ne me quitte plus ! » Au lieu de cela, elle lui demanda la date de son retour.

« — Je serai auprès de vous dans une demi-heure au plus tard. Je suis à l'aéroport. J'ai téléphoné pour savoir si vous étiez là. Sinon je serais allé à un rendez-vous d'affaires à Adjim. Je passe vous chercher, et nous déjeunerons ensemble avant d'aller à Adjim. »

« — Très bien, je vous attends. »

Kathryn alla à sa chambre d'un pas léger. Yasmina eut un grand sourire : elle était ravie de voir la demoiselle enchantée à la perspective du retour de Nazim Dafal. Si Dieu le voulait, cette jolie fleur serait cueillie par son bien-aimé.

Kathryn mit une robe bleu pâle, qui rehaussait son bronzage et la couleur de ses cheveux, découvrait ses

longues jambes et ses jolis pieds chaussés de sandales
à lanières.

Elle s'installa dans la véranda pour attendre
Nazim.

Nazim descendit de la voiture de location et elle le
rejoignit. Il portait un pantalon de coton et une ample
chemise de soie. Il était encore plus beau que dans son
souvenir ! Elle mit des lunettes noires pour dissimuler
ses yeux... Il l'embrassa et ses joues devinrent roses.

— Vous avez une mine splendide ! dit-il, les yeux
mi-clos, comme si lui aussi avait voulu cacher son
trouble.

Yasmina arriva et le salua avec déférence. Il sourit
et se tourna vers Kathryn.

— Yasmina dit que vous avez fait quelque chose
de si extraordinaire que ce doit être le prophète
Muhammad qui vous a inspirée. Je brûle d'impatience de savoir de quoi il s'agit !

Kathryn sursauta. Toute à sa joie de le retrouver,
elle en avait oublié la statuette. L'idée que Nazim
allait la voir l'angoissait. Elle réalisait qu'il allait tout
deviner de ses sentiments les plus intimes...

— Ce n'est rien ! Yasmina exagère... Cela ne vous
intéressera pas beaucoup. Je ne suis pas certaine
d'avoir réussi, car je l'ai fait de mémoire.

Oui, de mémoire, et elle savait que chaque trait,
chaque courbe, avait été modelée avec amour... Son
cœur serait mis à nu, son âme dévoilée...

Yasmina continua de la louanger, et elle se rési-
gna.

— C'est bon, je vais vous montrer... Mais, je ne
suis pas sûre que cela vous plaira.

A contrecœur elle entra dans la véranda et se dirigea vers le coin où se trouvait la statuette.

Elle n'osa pas lever les yeux vers Nazim.

Il y eut un silence, qui fut rompu par le frou-frou
de la robe de Yasmina qui s'en allait parce que Nazim
lui avait ordonné d'un geste de les laisser.

Nazim regardait fixement ce chef-d'œuvre de res-
semblance.

— Je n'ai pas eu de difficulté, sauf pour la djellaba... Elle est assez réussie pour être coulée en
bronze, mais mes moyens ne me permettent pas de
faire cela. Dommage !

Le silence de Nazim la mettait mal à l'aise ; elle se
tourna vers lui. Il regardait avec attention la statuette.

— Nazim ?

Kathryn eut un petit rire nerveux.

Nazim ne répondit pas, ne détourna même pas le
regard.

— Vous m'aviez dit que vous vouliez un échantillon de mon art pour que vous puissiez vous vanter de
m'avoir connue, quand je serais célèbre... Eh bien,
voici cet échantillon !

Nazim restait muet.

— Voulez-vous l'emporter, monsieur, ou
préférez-vous que je vous l'envoie ? (Kathryn souhaitait paraître enjouée...) Cet objet d'art pourra supporter d'être transporté dans deux jours.

Le regard assombri par la douleur, Nazim écouta
son rire cristallin.

— C'est très réussi, Kathryn, mais j'ai l'impression de me regarder dans un miroir ! Vous m'avez mis
à nu, et c'est la chose la plus cruelle que vous pouviez

me faire. Avec cette statuette-là, je me souviendrai de
vous jusqu'à la fin de ma vie ! (Nazim eut un rire
d'amertume.) Oui, c'est vrai, je pourrai la montrer à
tous quand vous serez connue et que vous m'aurez
oublié ! Je n'ai rien d'aussi beau à vous offrir. J'ai
seulement le droit d'espérer que, quelque part, parfois, vous vous demanderez ce que Nazim Dafal a fait
de la statuette. Mais je sais que vous aurez oublié le
modèle qui vous l'a inspiré. (Il fit un effort pour sourire.) Vous avez beaucoup travaillé. J'en suis flatté et
je serai fier de l'avoir quand vous serez partie...
Faites-vous le « portrait » de tous vos amis ? Avez-
vous fait celui d'Ashley Pemberton, par exemple ?

Il avait recouvré son sang-froid.

— Non, je n'ai pas fait le « portrait » d'Ashley.
Mais j'ai fait le vôtre parce que j'en avais envie, parce
que je *devais* le faire. (Kathryn sentait augmenter la
distance qui les séparait.) J'ai mis tellement de moi-
même dans cette œuvre, Nazim !

« C'était un acte d'amour... » Murmura-t-elle
cela ou le pensa-t-elle ?

Voyant qu'elle aussi souffrait, Nazim s'avança
vers elle, mais elle recula. Elle aussi avait sa dignité !

Elle nettoya la table pour que Yasmina pût poser
son plateau.

Elle servit le café, mais Nazim ne toucha pas à sa
tasse.

— Buvez ! dit gaiement Kathryn. Yasmina sera
vexée si vous n'appréciez pas ce qu'elle a fait pour
vous. Les femmes sont ainsi... Elles n'aiment pas être
incomprises...

Elle lui parla des ghorfas, des splendides visages

qu'elle avait vus à Médenine, et de la sortie en mer
d'Ashley. Ils retrouvèrent leur calme et ils discutèrent
de leurs projets pour la journée. Mais Nazim tournait
délibérément le dos à la statuette... N'avait-il donc
pas compris qu'elle l'avait faite par amour pour lui ?
Pourquoi ne disait-il rien ? Il avait avoué à sa sœur
son amour pour elle... « C'est l'homme le plus exas-
pérant que j'aie jamais connu ! »

Ils allèrent à Houmt Souk pour déjeuner dans le
grand établissement de marbre, véritable palace.
Leurs relations étaient redevenues superficielles. Ils
riaient, parlaient et s'amusaient.

Kathryn se retira quelques instants pour retoucher
son maquillage. Elle songeait que Justin l'aurait aussi
emmenée dans un endroit semblable. Comme ces
deux hommes se ressemblaient ! Pauvre Ashley ! Une
seule soirée dans un établissement comme celui-là le
priverait de manger pendant une semaine ! Quel garçon adorable il était ! Elle ne pouvait songer à lui sans
éprouver l'agréable sensation qu'avec lui elle se
moquerait de vivre chichement. Avec lui, elle serait au
régime maigre, certes, mais ils connaîtraient ensemble
d'indicibles émotions artistiques...

Aujourd'hui, on lui offrait luxe et beauté, richesse
et raffinement, et elle songea au bel oiseau qui se trouvait dans sa chambre... et à sa lampe d'argile.
Pourrait-elle les mettre l'un à côté de l'autre ? D'un
côté, le glorieux oiseau aux ailes brillantes et colorées,
symbole de puissance et de virilité, de l'autre, le pâle
minaret diffusant sa douce lumière, symbole de tendresse et de fragilité... Et de rêve ? Non, elle ne pouvait les imaginer sur la même étagère ! Elle les sépare-

rait. Quant à ses relations avec les trois hommes... Il viendrait un jour où elle aurait à choisir entre Ashley, le plus faible, Justin et Nazim. Ces deux-là se ressemblaient, en définitive ! C'était drôle ! Elle imaginait Justin et Nazim parler d'affaires ensemble...

Elle se demanda alors ce que faisait Ashley.

« J'espère qu'il ne plonge pas ! » se dit-elle en se souvenant de sa quinte de toux et de la quantité d'alcool qu'il avait bue la veille.

Nazim pressa sa main.

— Je suis désolé d'avoir été dur envers vous, mais j'ai été bouleversé à la vue de cette œuvre. Cela m'a donné la sensation désagréable qu'un autre être humain avait deviné mes sentiments les plus profonds, mes pensées les plus intimes. (Nazim détourna les yeux.) Ici, les hommes n'apprécient pas d'être découverts... (Il sourit.) Mais mon ascendance française me fait apprécier votre finesse, et l'honneur que vous m'avez fait. Je voudrais être un permanent sujet d'étude...

Il avait l'air dégagé d'un galant qui fait sa cour à une jolie femme.

Kathryn adopta le même ton que le sien.

— Si vous étiez mon seul sujet d'étude, vous restreindriez mes possibilités artistiques ! Le marché serait envahi de Nazim Dafal ! Vous êtes très beau, mais le grand public se lasserait !

Ils allèrent se baigner dans la piscine de l'établissement.

Kathryn avait délibérément choisi un provocant maillot de velours rose...

Quand ils furent sortis de l'eau, Nazim la prit dans ses bras, but les goutelettes de son visage...

Il était bouleversé : il avait résolu de demander à Kathryn de l'épouser, mais en voyant la statuette, en écoutant Kathryn qui semblait vouloir le remercier de sa gentillesse, il avait acquis la conviction qu'elle n'était pas amoureuse de lui. 'Aziza était une jeune fille trop romanesque : comment pouvait-elle savoir qui, d'Ashley Pemberton, de Justin Lamborn ou de lui-même, elle aimait ?

Il n'appréciait pas de se sentir en position d'infériorité, mais il voulait profiter de sa présence, admirer sa beauté et sa vivacité.

S'il osait lui demander de l'épouser, elle refuserait et ne pourrait plus supporter sa présence. Il optait donc pour la lâcheté. Il préférait être humble plutôt qu'humilié.

Ils partirent pour Adjim.

Là, ils s'assirent à une terrasse qui donnait sur la mer et burent des boissons glacées.

Le petit port de pêche était plein de bateaux. De temps à autre, un bateau à moteur s'éloignait, faisant sur l'eau bleue un large sillon d'écume blanche.

Kathryn ne comprenait pas que Nazim ne vît pas dans quelle disposition d'esprit elle se trouvait.

Elle contempla la mer...

— Regardez, Kathryn ! Les pêcheurs d'éponges commencent à rentrer...

Kathryn se leva pour mieux voir.

— Votre ami est peut-être avec eux ?

— Peut-être... Dans ce cas il doit avoir besoin d'un rafraîchissement ! Il doit faire chaud au large.

— Pas tant que ça ! Il y a le vent... C'est pourquoi il faut se sécher entre deux plongées. Autrement, malgré le soleil brûlant, on prend froid !

Ils regardèrent des hommes décharger des éponges en riant et en s'interpellant. La musique, toujours présente, racontait l'art ancien de la pêche. Kathryn songeait qu'elle n'oublierait jamais les sortilèges de ce pays, quoi qu'il advînt. « Je me souviendrai de la musique arabe, de l'appel du muezzin, et le hasard d'images télévisées fera ressurgir dans ma mémoire cette luminosité, ces parfums, ces bruits... et le désir ! »

Pourquoi ce sentiment de tristesse, alors que s'offrait à elle la perspective d'une soirée avec Nazim ?

Un serveur vint débarrasser leur table et déposa assiettes et verres sur la desserte. L'un des verres était retourné, à l'écart des autres. Kathryn le regarda fixement, et éprouva une certaine angoisse.

D'autres bateaux arrivèrent, dont les hommes déchargèrent leur cargaison d'éponges.

Un hors-bord fit le tour de la baie et disparut au large.

Nazim commanda deux cafés et jeta un coup d'œil sur sa montre.

— Je dois aller à mon rendez-vous, Kathryn !

Kathryn sourit.

— Ce ne sera pas long. Si votre ami revient, il pourra vous tenir compagnie jusqu'à mon retour... Mais pas plus ! C'est *ma* journée avec vous.

Il sourit, se pencha et l'embrassa.

Elle le regarda s'éloigner, puis contempla la mer. Ashley n'avait-il pas dit : « C'est *mon* jour ?... »

Elle regarda les bateaux jeter l'ancre, et les hommes assis en tailleur sur la plage. Où était Ashley ? Il n'était peut-être pas parti en mer. Il avait peut-être... Qu'avait-il pu faire ? Il n'était pas dans sa tente quand elle était allée voir, tôt le matin. La veille, quand elle lui avait souhaité une bonne nuit, il lui avait répondu : « Au revoir, Kathy... Sois heureuse ! » Comme s'il ne devait plus la revoir !

Kathryn eut un pressentiment en voyant arriver un hors-bord.

Il y eut un bruit de voix, des cris qui venaient du bateau. Des hommes se précipitèrent et tirèrent le bateau sur la plage.

Kathryn vit le corps inerte d'un homme aux cheveux roux, qu'on descendait du bateau.

Longtemps après que l'homme eut été transporté à l'hôpital, une voile apparut à l'horizon. La voile se gonflait sous la brise et le bateau glissait rapidement sur la mer. C'était un beau spectacle, et des touristes prirent des photos. Le conducteur du hors-bord étant parti à l'hôpital avec le noyé, personne ne savait ce qui s'était passé.

Un Américain observait attentivement le voilier avec des jumelles.

— Je vois des Tunisiens et des Blancs ! (Le mot, inadapté, fit sursauter Kathryn.) Je me souviens d'avoir vu ce bateau partir, ce matin. Il a dû y avoir un accident de plongée.

Kathryn s'approcha de lui.

— Y a-t-il à bord un bel homme blond ?

L'Américain porta de nouveau les jumelles à ses yeux.

— Celui que vous cherchez est peut-être sur un des autres bateaux.

Le bateau approchait du rivage, les voiles s'affaissaient à mesure que le vent mollissait. Les voiles furent descendues et un garçon au corps superbe et harmonieux fit avancer le voilier à l'aide d'une grande perche, en chantant d'une voix plaintive une mélodie pleine de tristesse, reprise en cœur par les Tunisiens qui se trouvaient sur la plage.

L'un des passagers demanda en criant ce qu'était devenu son ami, et l'Américain lui répondit qu'il respirait au moment où l'ambulance était venue le chercher.

Trevor se retourna, croyant qu'Ashley se tenait derrière lui. Il avait été très secoué quand ils avaient remonté Clem à bord. Trevor et les trois autres hommes avaient à eux seuls gouverné le bateau, ferlé les voiles, pris la barre, tandis qu'Ashley dormait sur le pont.

Trevor poussa un juron. Quel paresseux, et quel sans-cœur, qui ne s'inquiétait même pas du sort de Clem ! Il secoua brutalement Ashley.

— Réveille-toi ! Allez, debout ! Clem est sauvé ! On descend du bateau, viens !

Il s'arrêta de parler et regarda plus attentivement. Il se baissa, mis la main sur la poitrine d'Ashley, et lui prit fébrilement le pouls.

Un grand cri s'éleva du bateau. Habib accourut. Les touristes qui étaient sur la plage se levèrent d'un bond. On tira le bateau.

Kathryn se leva brusquement. Puis elle se précipita, le cœur glacé.

— Ashley ! cria-t-elle quand elle fut sur la plage.

Elle passa par-dessus le plat-bord, et vacilla à la
vue du corps étendu... C'était le corps de l'homme
qu'elle avait aimé. Elle caressa tendrement son visage
pâle et immobile, baisa ses lèvres sans vie, pressa son
visage contre son épaule.

Nazim arriva et l'entraîna. Quand ils furent assez
loin, il la prit dans ses bras.

Elle avait déjà pleuré toutes les larmes de son
corps.

La foule s'écarta pour laisser passer cet homme
grave qui portait la jeune femme.

Nazim transporta Kathryn dans l'arrière-salle du
café et commanda du brandy. Il frictionna ses mains
pour la réchauffer, et on apporta une couverture.

Le médecin vint et examina la jeune femme.
Quand Nazim fut autorisé à revenir auprès d'elle,
Kathryn était assise sur une chaise, le visage pâle et
crispé, les cheveux défaits retombant sur un burnous
blanc. C'était bien elle, la femme qu'il aimait passionnément...

Il lui prit les mains et la fit se lever. Mais elle chan-
cela et retomba sur la chaise.

Le médecin expliqua qu'elle souffrait d'un très
grand choc. Il voulait la faire hospitaliser. Effrayée,
elle s'agrippa à Nazim. Celui-ci la reconduisit au bungalow. Yasmina la mit au lit et resta près d'elle pour
veiller sur son sommeil.

Nazim était resté dans la véranda, le visage impas-
sible. Pendant un instant, quand elle s'était blottie

dans ses bras, il avait cru qu'elle l'aimait. Mais cette
sensation délicieuse n'avait été que fugitive... Elle
avait pourtant éveillé en lui un désir de protection.
Elle lui avait ensuite préféré le réconfort d'une présence féminine, celle de Yasmina. Ainsi, il n'avait été
que l'instrument qui l'avait éloignée d'Ashley et de
son désespoir... Rien de plus que deux bras puissants
qui l'avaient portée...

Immobile, il regardait la lune se refléter sur
l'eau..., les voiles des bateaux dans la lumière incer-
taine. Il entendit l'appel du muezzin. « Il doit y avoir
un Dieu ! » pensa-t-il.

CHAPITRE XI

Kathryn regarda la voiture s'éloigner du bungalow. Elle était brisée par le désespoir et muette de douleur. Depuis la mort d'Ashley, Nazim s'occupait de
tout pour elle. Avant qu'elle ne s'éveillât, le lendemain du drame, à l'aube, il avait démonté la tente et
avait emporté les affaires d'Ashley chez lui, dans sa
maison. Il s'était occupé des démarches auprès des
autorités, avait prévenu les parents d'Ashley, avait
organisé le retour du corps dans son pays.

Kathryn retourna à sa chambre en flageolant. Elle
avait la migraine.

Elle rangea ses affaires dans ses valises malgré sa
grande lassitude. Le lendemain, elle repartirait pour
l'Angleterre. Nazim s'était occupé aussi de la réserva-
tion. Elle serait bientôt parmi les siens, et devrait parler de la mort d'Ashley. La veille, Nazim lui avait fait
remarquer que cela serait mieux pour elle. La prolon-
gation de son séjour ne diminuerait pas sa peine, bien
au contraire...

« Ainsi je ne serai pas devenue totalement dépen-
dante de Nazim ! » se dit-elle.

Les soins attentifs et la tendresse protectrice de
Nazim avaient même émoussé sa douleur.

« Un galet promené par la mer perd ses angles
vifs ! » La comparaison la fit sourire.

Mais aussi longtemps qu'elle vivrait elle penserait
à Ashley. Nazim avait cependant réussi à combler le
vide de son cœur. Il n'avait pas essayé de profiter de
sa faiblesse... Elle allait repartir pour l'Angleterre et
des paroles resteraient sur le bord de leurs lèvres...
« Notre amour n'aura pu se manifester... »

Nazim appela Kathryn et se précipita : il lui avait
semblé entendre des pleurs. Il ouvrit la porte de la
chambre. Un instant, il eut l'impression d'être au
sous-sol du *Lamborn's Emporium*. Kathryn était
assise par terre, entourée des morceaux d'une lampe
d'argile, comme la première fois où ils s'étaient rencontrés. Il s'agenouilla, sourit pour l'encourager. Il
sortit un mouchoir et essuya ses larmes. Une seconde,
elle crut qu'il allait l'embrasser.

— Ce n'est rien, Kathryn ! Je vous en offrirai une
autre...

— Non !

— Mais...

— Vous ne comprenez donc pas ? Cette lampe-là
était fragile... Ashley aussi était fragile... Je n'en veux
pas d'autre. C'est le Destin qui a frappé !... Savez-
vous, Nazim, quand le serveur a débarrassé la table, à
Adjim, j'ai vu sur la desserte un verre retourné et j'ai
frissonné. Je crois que j'avais pressenti la mort d'Ashley...

Nazim fit se relever Kathryn et la prit dans ses bras. Il lui caressa les cheveux.

— Je savais que vous étiez très amis, Kathryn...

Il la laissa, se mit à ramasser les morceaux. Mais il n'alla pas jusqu'au bout.

— Etes-vous sûre de pouvoir supporter le voyage de retour ? Vous pouvez changer d'avis...

— Je dois rentrer, dit-elle en secouant la tête. Je dois téléphoner aux parents d'Ashley et retourner à l'école. Je lui dois cela !

Nazim la fit s'asseoir.

— Je vous comprends, Kathryn. Mais si jamais vous aviez besoin de moi...

— Mais, j'ai besoin de vous, Nazim ! dit Kathryn avec un accent de désespoir.

Nazim eut un sourire triste.

— Vous aimiez Ashley, et je crois que vous l'aimez encore. Je ne veux rien exiger de vous sous prétexte que j'ai été utile et que vous vous êtes reposée sur moi. (Il vit l'étonnement de Kathryn mais ne s'y attarda pas.) Non, Kathryn, ne dites rien ! Je vous ai aimé, je vous aime et je vous aimerai, mais je sais que vous éprouvez des sentiments contradictoires. Je ne veux pas ajouter à votre confusion en vous incitant à avouer quelque chose que vous ne ressentez pas profondément. Nous avons tous deux tant de problèmes à résoudre... Moi, je suis attiré par deux types de civilisation...

— Vous reverrai-je un jour ?

— Je vais vous accompagner à l'aéroport... Si vous avez envie de me revoir, vous le pourrez à l'automne : je serai alors en Angleterre. Je dois

d'abord aller en France pour chercher une école pour
'Aziza. Ce serait gentil de votre part de lui écrire. Elle
vous aime beaucoup et elle se sentira sûrement bien
seule. Elle vous enverra son adresse dès qu'elle sera
installée.

Il l'aida à boucler les valises et vérifia que ses
papiers étaient en règle. Elle retourna le bloc à dessin
d'Ashley, et les photographies qui étaient destinées à
'Aziza.

— Prenez les photos, Nazim. Je n'en garderai
qu'une.

Il les prit. Par contre, il refusa un portrait de
Kathryn fait par Ashley. Celui-là l'avait aimée et elle
l'aimait.

Yasmina pleurait, sentant que son maître était en
train de perdre la femme qu'il aimait.

Nazim et Kathryn s'en allèrent enfin.

A l'aéroport, il l'embrassa. Elle aurait voulu le
retenir, mais la foule les sépara. Il la regarda s'éloigner et elle se retourna. Un dernier signe de la main...

Quand elle vit les sommets enneigés, Kathryn eut
soudain la nostalgie des couleurs et de la fraîcheur de
son Surrey natal. Déjà, elle s'imaginait dans la maison du bord de l'eau, cette maison où elle n'était
jamais allée. Il lui tardait de retrouver Justin, dont la
présence était rassurante, d'entendre parler sa langue.

Il pleuvait sur l'aéroport quand l'avion se posa.

Kathryn était lasse, elle avait soif et faim, car elle
n'avait pas touché au repas qu'on avait servi dans

l'avion. Elle décida de partir immédiatement pour Bridgepath, et de déjeuner là-bas.

Mandy avait fait le ménage et les courses, et une pile de lettres l'attendait sur une table. Un timide rayon de soleil égayait le studio... L'oiseau de céramique brillait de tout son éclat, et la regardait avec satisfaction, à ce qu'il lui semblait.

— C'est bon de te revoir, toi aussi ! dit-elle.

Il y avait du monde au *Mitre,* mais Kathryn trouva une table pour elle seule. Elle parcourut son courrier et trouva une lettre de Justin. Elle regarda l'enveloppe et constata avec surprise qu'elle avait été postée à Londres.

J'ai confié cette lettre à quelqu'un qui retournait en Angleterre pour qu'elle arrive plus vite. J'ai lu dans un journal anglais le récit de la mort d'Ashley Pemberton, et je devine combien vous êtes triste. Je serai bientôt de retour pour vous consoler... et pour vous demander votre réponse, Kathryn...

Le reste de la lettre évoquait ses activités professionnelles.

Kathryn sourit : Justin ressemblait à Nazim, qui lui parlait lui aussi de son travail... Elle essaya d'oublier que Nazim serait en Angleterre à l'automne. « Je dois ne plus penser à lui... Nous ne sommes pas faits pour nous marier ! » A cause de la mort d'Ashley, elle avait eu une vision plus réaliste des choses. Nazim était si réservé... « J'ai besoin d'y voir clair, à présent, se dit-elle. Je ne veux voir ni Nazim ni Justin, car je pourrais me jeter au cou du premier qui me dirait un mot gentil, uniquement parce qu'Ashley n'est plus de ce monde et que j'ai besoin de chaleur humaine et d'amitié.... »

Elle téléphona à Mandy. Elle la remercia de ce qu'elle avait fait.

« — Il faut que je me sauve, Kathryn ! Je pars avec Jethro pour quinze jours... Je croyais qu'il ne me le proposerait jamais... (Mandy gloussa.) Si le directeur remarque mon absence à la rentrée, fournis-lui une explication... Je crois que c'est le grand amour ! »

Kathryn rentra à pied, en suivant la rivière, à pas lents. Sur les haies poussaient déjà de petites feuilles vertes. Un cygne apparut, majestueux.

Kathryn se rappela qu'elle s'était promenée là avec Ashley, et qu'il l'avait embrassée. Elle avait la gorge serrée, et se sentait désespérément seule.

« Ashley est mort... Lui seul m'aimait de tout son cœur. Les deux autres ont une vie si bien remplie qu'ils peuvent vivre sans moi... »

Elle s'assit sur un banc et regarda les canards. Elle revivait les moments qu'elle avait passés en la compagnie d'Ashley. « Au revoir, Kathy !... Sois heureuse ! » lui avait-il dit. Avait-il eu, lui aussi, un pressentiment ?

La pluie se mit à tomber.

Kathryn repartit en courant.

La sonnerie du téléphone retentit alors qu'elle se trouvait devant la porte. Elle chercha fébrilement la clé... Quand elle ouvrit, il était trop tard... « Oh ! c'est trop bête ! » pensa-t-elle.

Elle alluma le poste de télévision.

La chambre était froide ; aussi mit-elle le chauffage et se prépara-t-elle du café.

Elle regarda le journal. Puis elle tendit le bras pour éteindre, mais elle s'arrêta. On voyait des passagers descendre d'un avion, parmi lesquels il y avait Justin !

Son cœur battait la chamade. Cher Justin !... Si solide, et tellement amoureux d'elle !

Quand la sonnerie du téléphone retentit de nouveau, elle ne fut pas surprise...

Justin voulait la rencontrer le plus tôt possible et cela la fit sourire.

Elle l'attendrait dans une demi-heure devant l'immeuble.

Elle regarda le coq et ses yeux brillèrent : il lui semblait qu'il la regardait d'un air narquois !

Elle descendit.

Justin arriva et la serra très fort dans ses bras.

Puis il l'entraîna.

En buvant un apéritif, Justin parla d'abondance de l'art aztèque.

Aux hors-d'œuvre il lui indiqua qu'il avait pris des parts dans une maison de couture, au bœuf bourguignon il lui parla des films qu'il avait tournés.

Il ressemblait à un petit garçon aux poches pleines de bonnes choses. Il ne savait pas par quoi commencer, et cela fit sourire Kathryn.

Justin la regarda et posa la main sur la sienne.

— Etes-vous heureuse de me revoir ?

Elle fit oui d'un signe de tête, mais quand le repas fut terminé, elle ne se souvenait plus de ce qu'il lui avait raconté. Avec Ashley, elle aurait eu une vraie conversation !

Elle fit un effort pour paraître intéressée, mais elle était fatiguée. Justin poursuivit son monologue. Le lendemain, avec un peu de chance, elle parlerait peut-être !

Justin eut soudain l'air contrit.

— Que devez-vous penser de moi ? Je ne vous ai même pas laissée parler d'Ashley... Vous avez dû être bouleversée, ma pauvre petite Kathryn !

— J'ai été terriblement choquée, dit-elle avec un faible sourire. Je l'ai vu mort...

— C'est affreux ! Sa mort m'a beaucoup touché. Pourquoi était-il parti là-bas, lui aussi, Kathryn ?

— C'est son médecin qui le lui avait conseillé...

— Le saviez-vous avant de partir ? Est-ce pour cela que vous refusiez de partir avec moi ?

Cette fois, elle devenait l'objet de toute son attention...

— J'ignorais qu'il était en Tunisie jusqu'à ce qu'il arrive à Djerba.

— Il ne vous avait pas prévenue ?

— Je viens de vous le dire...

Gêné, Justin détourna les yeux.

— C'est une incroyable coïncidence que vous vous soyez retrouvés là-bas, surtout dans un endroit aussi éloigné que Djerba...

— Ashley savait que j'étais en Tunisie. Ce n'était un secret pour personne. Vous le saviez aussi, n'est-ce pas ? Il voulait venir avec moi, mais j'avais refusé. Je voulais partir seule pour pouvoir travailler. Ashley a découvert le bungalow dans lequel je logeais et il a planté sa tente un peu plus loin... (Justin parut se

détendre.) Si j'avais eu envie de partir avec lui, je ne
m'en serais pas cachée. Je ne me serais pas abaissée à
proférer des mensonges, Justin... (Kathryn fut brusquement prise de colère.) Je n'ai de comptes à rendre
à personne. Je fais ce que j'estime devoir faire. Il se
trouve que je ne suis pas le genre de femme à partir
avec un homme pour le temps des vacances... Et
quand bien même je le ferais, cela resterait mon
affaire. Quand j'ai vu Ashley qui gisait, mort, j'ai
regretté de ne pas avoir accepté sa compagnie...

Justin essaya de lui reprendre la main, mais elle se
déroba.

— Justin, je vous avais averti que vous m'aimeriez moins quand vous me connaîtriez mieux. Je suis
comme je suis, farouchement indépendante. C'est
moi seule qui décide !

— Je suis désolé, Kathryn ! Pardonnez-moi...
Mais, essayez de me comprendre... Quand j'ai appris
la nouvelle, j'ai pensé que vous et lui... J'aurais dû
deviner que ce n'était pas possible, mais j'ai souffert
le martyre en vous imaginant ensemble. Je devais
revenir ! Je devais avoir la preuve que vous éprouviez
encore quelque chose pour moi...

Il la regarda un moment, et ses yeux trahissaient la
même tristesse qu'à Noël.

— Si je ne vous aimais pas à ce point, cela
n'aurait pas eu d'importance, mais je vous aime sincèrement... Je n'ai cessé de penser à vous pendant tout
ce temps. Je ne supportais pas l'idée que d'autres
hommes vous regardent et vous aiment ! Je suis jaloux
des sourires que vous donnez...

Kathryn se rappela que Nazim éprouvait le même sentiment de jalousie...

Elle se sentit soudain mal à l'aise.

— Sortons, Justin, dit-elle.

Il vit sa pâleur.

— Kathy, je suis désolé ! Vous avez eu de rudes épreuves et je ne fais qu'empirer les choses au lieu de vous aider. Je suis égoïste...

— Non, Justin. J'ai simplement envie de faire une promenade.

Ils se dirigèrent vers le parking.

— Je préférerais marcher...

— Je vais vous conduire dans un endroit très calme... et nous irons faire une promenade.

Justin conduisit à grande vitesse.

Ils sortirent de la ville, prirent un chemin.

— C'est par-là que vous habitez ? demanda Kathryn, ravie.

Cela ressemblait à ce qu'elle avait imaginé. C'était un petit bungalow avec des lucarnes, flanqué d'un verger, et entouré d'une pelouse rase qui descendait en pente douce vers le chemin de halage. L'odeur des narcisses s'élevait, suave dans l'air humide, et une remise à bateaux était dissimulée derrière un saule pleureur.

— Oh ! Justin, quelle chance vous avez ! C'est ravissant !

— C'est très calme... Trop pour un homme aussi seul que moi.

Justin s'effaça pour laisser passer sa compagne.

— Mais vous devez avoir de l'aide, pour la maison et le verger ? Vous avez un employé de maison ?

— Bien sûr ! Mais j'habite seul ici... Vous m'avez dit que vous avez parfois besoin d'être seule... Je n'arrive pas à comprendre cela. Je ne supporte pas qu'il y ait des étrangers chez moi, mais parfois je ressens un vide immense. Je regarde autour de moi en imaginant que vous êtes là. Je sais que si vous viviez dans cette maison, je ne me sentirais plus jamais seul.

Ils marchèrent et arrivèrent sur le quai de pierre, au bord de la rivière. Justin la prit doucement dans ses bras, et elle le laissa déposer sur ses lèvres insensibles un baiser. Elle ferma les yeux. La chaleur, la force, la passion si longtemps retenue de Justin, vainquirent sa résistance, et elle se blottit contre lui, le visage baigné de larmes. Son désespoir, sa confusion, jaillirent de son cœur en un sanglot, et parurent répondre à la solitude de Justin.

Peut-être s'étaient-ils trouvés pour se consoler l'un l'autre ?

Kathryn songeait que l'amour de Justin effacerait peu à peu sa douleur et tous ses souvenirs.... Elle oublierait Ashley, ses lèvres glacées... Elle oublierait la sensualité qu'avait éveillée chez elle Nazim...

— Kathryn, ma chérie !... J'avais si peur de vous avoir perdue à jamais...

Ils s'assirent au bord de l'eau et regardèrent passer une péniche. Kathryn ressentait une certaine sérénité, mais les souvenirs la poursuivaient.

Elle était avec Justin, qui l'aimait et la protégerait...

Elle voyait le visage de Nazim à la surface de l'eau, entendait le son de sa voix dans le murmure de la rivière.

Ils rentrèrent au bungalow et s'assirent devant la grande baie vitrée qui dominait la rivière.

Quand la nuit fut tombée, Justin tira les rideaux de velours et alluma les lampes qui diffusaient une lumière rose. Il mit de la musique et ils s'assirent sur un canapé.

Quand Kathryn s'inquiéta de l'heure, il était minuit.

— Je dois m'en aller ! dit-elle. J'ai beaucoup de choses à faire demain si je veux être prête pour la rentrée. Si je restais plus longtemps, Justin, je m'endormirais.

— Mon lit est trop grand pour une seule personne... Si vous m'épousiez, vous pourriez rester là, avec moi.

Justin l'embrassa, mais elle le repoussa, doucement mais fermement.

Quand ils furent devant son immeuble, Kathryn déposa un baiser fugitif sur les lèvres de Justin.

— Cette soirée a été merveilleuse, dit-elle. Je vous aime beaucoup, Justin, mais tant de choses se sont passées... Mes nerfs sont encore à vif. Soyez patient...

Il soupira et la laissa.

Dans la pénombre de sa chambre, le bel oiseau observait Kathryn tandis qu'elle s'apprêtait à se mettre au lit.

— Tu ne verras pas mon minaret d'argile ! lui dit-elle.

Il aurait diffusé une si douce lumière sur le lit...

« Où que tu sois, Ashley, souviens-toi que je

t'aime encore. Dois-je oublier tout ce qui s'est passé en Tunisie ? La vie continue sans toi, et je dois faire la part du feu. Si j'aime Justin d'une manière différente, mais sincère, ai-je raison de l'épouser ? »

L'oiseau la regarda d'un œil dur et sardonique...

CHAPITRE XII

Le mois de mai revint, et la nature fleurie déploya ses fastes. A travers les branches d'amandier aux fleurs rosées, on voyait un ciel d'un bleu radieux. La vie reprit son cours au collège. Mandy vivait à présent avec Jethro, et Kathryn rencontrait régulièrement Justin. Il l'invitait au théâtre, ou à faire de longues promenades dans la région vallonnée du Surrey. Il était toujours disponible, et capable de se sortir de n'importe quelle situation avec grâce et naturel. Il comblait Kathryn de faveurs et d'attentions, et n'avait de cesse que de la distraire et de l'amuser. Le souvenir de la mort dramatique d'Ashley s'estompait peu à peu, et à présent elle pensait à lui et parlait de lui avec une grande tendresse, mais sans trop de chagrin, comme s'il faisait un long voyage.

Justin estimait que Kathryn oubliait peu à peu cet artiste romantique qu'elle avait tant aimé.

'Aziza avait écrit à Kathryn pour l'inviter à venir la voir à Paris, mais elle avait tant de choses à faire qu'elle n'envisageait pas de quitter l'Angleterre dans l'immédiat.

Elle parla incidemment de 'Aziza à Justin, un soir qu'ils se promenaient ensemble.

— Je me sens fautive de ne pas aller la voir, dit-elle. 'Aziza connaissait Ashley, et elle a été bouleversée d'apprendre sa mort. J'avais promis de lui écrire et je l'ai fait, mais elle doit se sentir bien seule dans un pays étranger. De plus, elle n'a pas plus le droit de sortir à Paris qu'elle ne l'avait à Sousse.

Justin l'écoutait en silence, résolu à empêcher Kathryn de partir pour Paris s'il le pouvait. Il n'oubliait pas que Nazim Dafal lui avait offert l'hospitalité à Djerba et l'avait consolée à la mort d'Ashley. « Je l'ai évincé une fois déjà, se disait-il. Je dois épouser Kathryn avant qu'ils ne se revoient ! » Elle n'avait rien dit qui pût lui laisser penser qu'il s'était passé quelque chose entre eux, mais, intuitivement, Justin sentait qu'il devait se garder.

— Et si nous profitions de notre voyage de noces pour aller lui rendre visite ? demanda-t-il avec naturel.

— Pas question ! répondit Kathryn en souriant. Vous vous ennuieriez ! J'irai seule... Je demanderai au directeur de son école la permission de la sortir. Elle a envie de connaître les clubs de jazz de la rive Gauche. Ce n'est pas précisément le genre d'endroit que vous aimez fréquenter, n'est-ce pas ?

Justin fronça les sourcils. Il n'aimait pas que Kathryn fréquentât des milieux sociaux différents du sien. Même aux soirées dansantes du collège, il se sentait déplacé au milieu des étudiants, et il communiquait difficilement avec les amis de Kathryn.

— J'irai à la fin de l'année scolaire... Nous passerons quelques jours ensemble et nous pourrons visiter Paris.

Kathryn se réjouit à la perspective de ce voyage qui effacerait son sentiment de culpabilité envers 'Aziza.

— Mais, je voulais que vous veniez avec moi à Salcombe pour faire de la voile ! dit Justin. Peter et Madeline nous ont invités et nous avions prévu de louer un bateau pour l'été. Ainsi, je pourrai m'absenter une journée de temps en temps pour m'occuper d'affaires urgentes, et nous passerions de vraies vacances. (Il eut un regard tendre.) Laissez-moi vous convaincre que vous ne pouvez vivre sans moi !

Oubliant le projet de Kathryn, Justin parla avec enthousiasme de leur séjour à la mer.

— Désolée ! dit Kathryn. J'ai promis à 'Aziza, et je dois lui téléphoner ce soir pour lui donner confirmation. Elle sera déçue si je me dédis.

— Mais, vous n'êtes pas obligée ! Ils ne croient tout de même pas que vous êtes au service de cette petite collégienne capricieuse ! Vous auriez une lourde responsabilité, et vous perdriez votre temps. Après tout, elle n'est rien pour vous !

— Je l'aime beaucoup, Justin ! (Kathryn haussa les épaules.) Ses parents ont été très bons avec moi, et puis Nazim m'a aidée à la mort d'Ashley.

— Je vous crois ! s'écria Justin. (Il eut un rire de dérision.) N'importe quel homme digne de ce nom aurait aidé une femme aussi adorable que vous. C'est vous au contraire qui lui avez fait une faveur !

— 'Aziza m'a offert une splendide robe en soie. Je ne l'ai jamais portée...

— C'est un de ces vêtements arabes, n'est-ce pas ?
dit Justin, l'air méprisant.

— Oui. La mienne est superbe !

— Mais ce n'est pas le tout-venant, je pense. Ce
serait parfait pour un bal masqué. Je me demande si
je ne pourrais pas lancer une mode... (Justin eut l'air
songeur.) Puisque vous ne le mettez pas, prêtez-le-
moi ! Je l'emporterai à l'usine et je ferai faire une
étude de marché..

— Non ! Je l'emporterai à Paris et la mettrai
là-bas !

Justin se renfrogna en l'entendant de nouveau
parler de ce voyage...

— J'ai voyagé en Europe sans avoir de problèmes, dit-elle. Allez faire de la voile ; nous nous rejoin-
drons ensuite. J'ai besoin d'être seule, car je me sens
prisonnière et je n'ai plus d'inspiration. (Elle vit
qu'elle l'avait blessé et se reprit.) Je ne parle pas de
vous, Justin ! J'aime votre compagnie, mais j'ai beaucoup travaillé et j'ai besoin de répit. Je suis désolée,
mais je ne veux pas aller à Salcombe... Je ne peux supporter l'idée de revoir la mer... J'irai quelques jours à
Paris, et puis... qui sait ?

— Et puis... vous reviendrez pour m'épouser,
n'est-ce pas ?

Justin prit la main de Kathryn.

Sa vie avec lui la comblerait. Quand il l'embras-
sait, avec d'autant moins de retenue qu'il gagnait peu
à peu son amour, elle ressentait une langueur qu'elle
ne pourrait satisfaire qu'en lui appartenant toute
entière. Il serait le mari idéal et l'amant passionné
tout à la fois.

Elle songea qu'en allant voir 'Aziza et en lui faisant visiter Paris, elle se libérerait de sa dette envers sa famille.

Ce soir-là, 'Aziza téléphona.

« — Oh ! Kathryn, vous êtes si gentille ! Je meurs d'envie de visiter Paris, surtout avec vous. Père est ravi de votre visite, car il a confiance en vous, mais mère s'imagine qu'une jeune fille n'est pas en sécurité dans la capitale ! Nous logerons à l'hôtel ? »

« — Mais, c'est inutile, 'Aziza ! Et puis, je n'ai pas les moyens de m'offrir un grand hôtel ! »

« — Père a dit que c'est vous qui nous feriez une faveur en acceptant. Si nous descendons dans un grand hôtel, mère ne pourra faire aucune critique. Je vous en prie, Kathryn, acceptez ! C'est si gentil de venir ! »

'Aziza paraissait extrêmement émue.

« — D'accord ! dit Kathryn, non sans réticence. (Après tout, les Dafal étaient riches, et l'enthousiasme de 'Aziza était communicatif !) Je vous laisse carte blanche pour établir le programme ! »

« — Oh ! Kathryn, je vous adore ! Mes camarades vont être jalouses ! »

« Nous allons bien nous amuser là-bas ! pensa Kathryn. Et puis, je vais enfin pouvoir être seule avec moi-même ! »

Elle n'était pas parvenue à se lier à d'autres étudiants. Ses condisciples étient trop excentriques et les valeurs morales qui étaient les leurs étaient à l'opposé des siennes. Par ailleurs, il y avait Justin, qui la prenait entièrement en charge, l'entourait de son amour possessif, l'emmenait dans les meilleurs restaurants et lui offrait les meilleurs places de théâtre. Enfin, elle allait se sentir elle-même ! Elle irait manger dans les petits bistrots, serait heureuse de vivre, simplement...

Le mois de juin arriva. Justin accompagna Kathryn à l'aéroport et elle se demanda ce qu'il aurait dit s'il avait su qu'elle emportait dans ses valises ce qu'il avait qualifié de « vêtement pour bal masqué » !

A l'aéroport, elle pensa à Nazim...

Ils s'étaient quittés sans un sourire, sans un baiser d'adieu...

Justin lui fit un signe de la main, et elle lui envoya un baiser. Elle avait en main tous les atouts : ils étaient unis par une tendresse sans faille, un respect mutuel et un amour sincère, qui survivrait à leur passion des premiers temps...

Cette fois, le voyage ne fut pas long.

'Aziza se jeta dans les bras de Kathryn, sous le regard amusé du proviseur du lycée.

Un taxi devait les conduire à un hôtel parisien. 'Aziza, excitée, poussait des cris de joie en reconnaissant tel ou tel monument.

— Dites, Kathryn, nous irons sur les Champs-Elysées ? Et aux terrasses des cafés ?

— Mais, vous êtes allée dans des cafés, en Tunisie ! Où est la différence ?

— Mais tout est différent ici ! Nous sommes à Paris... (Le visage de la jeune fille s'assombrit.) Ici, les hommes sont romantiques comme l'était Ashley...

Je pense si souvent à lui ! Comme c'est étrange que je l'aie rencontré, lui, celui que vous aimiez…. Vous avez dû avoir le cœur brisé, car vous vous aimiez, n'est-ce pas ? C'est si beau, si romantique ! ('Aziza soupira.) Nazim n'est pas très romantique, lui ! Il est trop sérieux. A votre place, j'aurais choisi Ashley…

Kathryn attendit qu'elles fussent seules pour dire :

— 'Aziza ! J'espère que vous n'avez pas raconté tout cela à vos parents !

— Nazim est un idiot ! Il m'a dit qu'il vous aimait, et puis, quand Ashley est mort, il n'a plus dit un seul mot. Il ne faisait plus rien. Il a simplement dit que vous n'aimiez qu'Ashley, et qu'il respectait votre amour… Je suis désolée si je vous ai causé des ennuis, Kathryn. Avant de connaître Ashley, je pensais que vous étiez amoureuse de Nazim et j'ai…, j'ai dit à Nazim que je pensais que vous l'aimiez.

— Quand cela s'est-il passé ?

— Ne vous fâchez pas, je vous en prie ! C'est le passé. Je le lui ai dit le jour où il a acheté la robe verte, celle qu'il vous a envoyée.

— Mais c'est vous qui me l'avez offerte !

'Aziza se mit à rire.

— En vérité, c'est lui ! Il aurait dû vous l'apporter lui-même ! Mais les hommes sont si étranges…

Malgré son trouble, Kathryn sourit. 'Aziza était sérieuse comme une adulte qui croit déjà tout savoir de la vie !

— Promettez-moi une chose, 'Aziza. Je vous demande de ne pas faire une seule allusion à ma vie privée… Promettez-le-moi ou je repartirai pour l'Angleterre !

Kathryn ne savait pas si elle plaisantait ou si elle était sérieuse...

— Je vous le jure ! dit 'Aziza, visiblement peu troublée par la gravité de Kathryn. Et maintenant, si vous avez fini de me faire la morale, nous pourrions aller nous promener au bord de la Seine, nous embarquer sur un bateau-mouche et voir Notre-Dame au clair de lune...

— On ne peut tout faire en une demi-journée et je n'ai pas le pouvoir de faire briller la lune ! lança gaiement Kathryn. Allons sur les quais. Nous nous arrêterons dans un café de la rive Gauche et nous verrons quelques galeries.

L'après-midi passa très vite. Kathryn et 'Aziza étaient ravies. Elles burent un café en écoutant un accordéoniste jouer des romances. 'Aziza était aux anges : tout était si typique, si nouveau ! Il faisait beau, et la soirée était douce. Pour faire plaisir à 'Aziza, Kathryn réserva des places sur un bateau-mouche. Elles découvrirent les quais de la Seine, les ponts célèbres, et les chefs-d'œuvre du passé qui jalonnaient les deux rives. Notre-Dame, derrière le rideau sombre des arbres qui entouraient l'île de la Cité, se dressait majestueusement, éclairée par un flot de lumière.

Sur le trajet du retour, les quais étaient balayés par l'éclat des rampes de projecteurs de chaque côté du bateau, surprenant au passage des amoureux enlacés au bord de l'eau. Les passagers riaient en voyant les amoureux surpris. Kathryn, elle, avait le cœur gros. Comment osaient-ils se moquer de ces amoureux ? Kathryn, elle, les regardait avec envie. Paris n'était

rien sans quelqu'un à aimer... Personne ne la prendrait dans ses bras sur un quai de la Seine et lui mur-
murerait des mots doux, des mots fous, comme
l'aurait fait Ashley... 'Aziza devina sa tristesse et lui
serra la main.

— Ashley aurait aimé venir ici, n'est-ce pas ?
(Kathryn approuva en silence.) Nazim aussi aime
Paris... C'est lui qui m'a encouragée à venir y faire
des études, et il est déjà venu me voir pour s'assurer
que j'étais heureuse. Il a fait admettre à nos parents
que je devais choisir ma vie. Il est adorable !

— Qu'avez-vous fait quand il est venu vous voir ?

— Nous sommes allés manger un couscous dans
un restaurant tunisien, dit 'Aziza avec une voix de
petite fille. (Elle détourna les yeux.) J'avais le mal du
pays... Et puis nous nous sommes promenés au bord
de l'eau en mangeant des glaces. (Le ton était rede-
venu gai.) Il faisait froid et nous n'avons pas beaucoup parlé, mais nous nous comprenions sans mot
dire. Il était malheureux, lui aussi, mais il a su me
consoler.

Kathryn écoutait, et se souvenait de tout ce que
Nazim avait fait pour elle à la mort d'Ashley, d'une
manière totalement désintéressée, respectant sa douleur.

Elle regarda la berge plongée dans la pénombre, et
vit un homme et une femme marcher main dans la
main, et soudain resurgirent tous les souvenirs qu'elle
avait refoulés...

— Où est Nazim, à présent ? se força-t-elle à
demander à 'Aziza, sans s'avouer qu'elle avait envie
de le revoir.

— Je ne sais pas. Il m'a promis de revenir me voir à Paris, car je resterai au collège pendant le mois de juillet.

Elles retournèrent à l'hôtel.

Kathryn y trouva une lettre du père de 'Aziza. Celui-ci la remerciait de rendre visite à sa fille. Il ajoutait qu'il avait réservé la suite pour une semaine supplémentaire et pour elle seule.

Vous me feriez plaisir en acceptant d'être mon invitée. Ainsi, vous pourriez visiter Paris à votre guise, sans ma fille.

Kathryn était stupéfaite. Cela lui permettrait d'aller voir ses amis peintres installés à Paris et de visiter les galeries d'art, ce qui n'intéressait pas 'Aziza. Comme ils étaient bons et généreux avec elle ! Madame Dafal elle-même avait pris la peine de lui écrire à la mort d'Ashley une lettre pleine de chaleur et de compassion, ce qui laissait entendre qu'elle aussi avait ressenti du chagrin...

Les jours passèrent rapidement...

— Mes pauvres pieds ! gémit Kathryn après une matinée passée au marché aux Puces.

— Pas d'excuses ! dit 'Aziza. Nous devons visiter Versailles cet après-midi ! (Elle adressa à Kathryn un regard inquiet.) Vous me l'avez promis, et c'est notre dernier jour !

'Aziza avait tour à tour le comportement d'une petite fille capricieuse et celui d'une femme capable de deviner les sentiments profonds des autres!

— Vous allez me manquer ! dit Kathryn. Je suis très heureuse d'être venue !

— Moi aussi, je me suis bien amusée. Quand reviendrez-vous ?

— Je ne sais pas, dit Kathryn en regardant les frondaisons vertes des platanes. Il se peut que je ne revienne pas avant longtemps... Je ne peux rien promettre ! (Elle adressa à 'Aziza un regard angoissé.) Non que je n'en aie pas envie... Mais, je vais être très... occupée.

Elle ne pouvait pas encore prononcer la phrase : « Je vais me marier. »

— Moi, je suis sûre que vous reviendrez !

— Je vous promets de revenir si je le peux.

Cependant, Kathryn songeait que tout serait différent avec Justin. Elle n'oserait pas lui demander de sortir en compagnie de 'Aziza. S'ils venaient ensemble à Paris, ils visiteraient les monuments et les galeries, mais elle n'oserait pas l'emmener chez ses amis artistes et un peu bohèmes ni dans les cafés de la rive Gauche, bruyants et où régnait une folle ambiance. Elle ne supporterait pas qu'il critiquât ce qu'elle appréciait de Paris...

— Excusez-moi, 'Aziza, j'étais ailleurs...

— Je vous demandais ce que vous alliez mettre ce soir pour sortir ? Vous n'avez pas oublié que nous allons dans un night-club avec un ami de mon père ?

— Mon Dieu ! J'avais oublié ! Etes-vous sûre de vouloir y aller ?

— Oui ! Je ne retournerai pas à l'école si nous ne sortons pas !

— J'ai une robe longue, dit Kathryn. Mais elle n'est peut-être pas assez élégante.

'Aziza frappa dans ses mains.

— Et si nous jouions aux touristes tunisiennes ?
Je vous ai vue déballer vos affaires, et j'ai vu votre
robe... Nous allons étonner Paris par notre beauté !
Peut-être qu'un beau jeune homme m'invitera à danser ?

Du couloir on devait entendre les éclats de rire de
'Aziza qui aidait Kathryn à mettre sa robe. Kathryn
était choquée de ne rien pouvoir mettre dessous, et
cela amusait beaucoup 'Aziza.

— Mais, c'est fait exprès ! Il faut suggérer le plus
possible sans dénuder le corps !

La jeune fille arrangea les plis de sa propre robe
pour mettre en valeur ses hanches et sa taille fine.

Kathryn se regarda dans la glace et rejeta ses cheveux en arrière pour accrocher son collier et ses boucles d'oreilles. Elle prit son sac de velours, et son cœur
se mit à battre. La Tunisie était si proche... La médina
de Sousse, la musique plaintive, la luminosité aveu-
glante du soleil, le parfum des épices... Elle mit un
peu d'eau de toilette sur sa nuque et au creux de son
décolleté. Le pendentif mettait en valeur sa peau
nacrée... L'eau de toilette, française, était un cadeau
de Justin.

'Aziza paradait devant elle, jouant coquettement
avec le col drapé en forme de capuche.

Le téléphone sonna et 'Aziza alla répondre en dan-
sant.

— On nous attend à la réception ! Je me demande
qui ce sera...

Le cœur battant, consciente d'être une femme différente ainsi vêtue, Kathryn sortit de l'ascenseur derrière 'Aziza.

— François ! s'écria 'Aziza en tendant ses deux mains en direction du beau jeune homme qui les attendait.

Il la prit dans ses bras et déposa deux baisers sonores sur ses joues.

— Kathryn, je vous présente mon cousin. Il a fait ses études en Amérique. Depuis quand êtes-vous revenu, mon cher ?

François serra solennellement la main de Kathryn, mais son regard trahissait son admiration.

— Etes-vous prêtes ? demanda-t-il poliment. La table est réservée.

Ils entrèrent dans une salle au plafond bas. Les murs étaient tendus de soie écrue et vert d'eau. Ils prirent place sur des banquettes de velours or et vert bouteille, assez loin de la piste de danse. La musique leur parvenait assourdie et douce, et une femme en noir chantait des chansons d'Edith Piaf. Les lumières étaient tamisées, et Kathryn leva le regard vers 'Aziza. Ses yeux scintillaient de bonheur ; elle parlait avec François, qui l'écoutait avec une bienveillance et une attention affectueuses et flatteuses. Kathryn observa les visages autour d'elle.

La chanson qu'avait rendue célèbre Edith Piaf éveillait en elle des émotions familières.

« Non, rien de rien, non, je ne regrette rien... »

La chanteuse chantait avec une certaine conviction.

Et elle, ne regrettait-elle pas quelque chose ? Etait-elle heureuse ?

'Aziza et François dansèrent au rythme lent de *l'Hymne à l'amour*.

« J'épouserai Justin dès que possible ! pensa Kathryn. Je l'aime, et je le rendrai heureux. S'il était ici en ce moment, je serais comblée ! »

Rêveuse, Kathryn caressait l'étoffe soyeuse et tiède sur sa peau nue. Un homme s'arrêta près de sa table et la regarda, mais elle le foudroya du regard et il continua son chemin...

Le serveur vint lui demander si elle voulait passer la commande, mais elle devait attendre.

Soudain, elle sentit un regard peser sur elle. « C'est sans doute l'homme de tout à l'heure ! » se dit-elle sans bouger.

François et 'Aziza revinrent.

'Aziza allait s'asseoir... Au lieu de cela, elle poussa un cri de surprise.

— Nazim ! Tu es à Paris ! C'est merveilleux !... Maintenant nous sommes quatre. Tout est parfait.

— Bonjour ! dit Nazim en serrant poliment la main de Kathryn. (Il se tourna vers sa sœur.) J'étais venu en coup de vent pour m'assurer que tu n'ennuyais pas Kathryn.

— 'Aziza a été adorable, et nous nous sommes beaucoup amusées, dit Kathryn.

Ils commandèrent à dîner et poursuivirent la conversation.

Kathryn regrettait de n'avoir pas mis une simple jupe et un chemisier. Elle se serait sentie moins vulnérable, moins sophistiquée. 'Aziza de son côté était ravie de se retrouver en la compagnie de son frère.

Kathryn remarqua que Nazim mangeait très peu. Il s'occupait surtout de remplir son verre, était atten-

tif aux moindres de ses désirs. Il évitait cependant de
la regarder en face...

Quand les musiciens se remirent à jouer, François
invita 'Aziza.

Celle-ci interpella son frère :

— Allez, lève-toi ! Kathryn n'a pas encore dansé !
Tu dois l'inviter, Nazim !

Nazim se leva et tendit la main.

Kathryn se leva à son tour et il l'entraîna.

Nazim posa une main sur la taille de Kathryn et
l'autre sur son épaule, d'une manière curieusement
démodée.

Elle baissa les yeux et ils dansèrent en silence.

La chanteuse reprit la chanson de Piaf : *Je ne
regrette rien*...

Nazim resserra son étreinte et son visage effleura
sa chevelure. Il chantonnait ce qu'Edith Piaf avait
chanté un peu partout.

Kathryn avait l'impression de flotter sur un
nuage...

Elle ferma les yeux et chantonna aussi.

Mais, tout a une fin.

Ils retournèrent à leur table, songeurs.

Quand ils s'en allèrent, le petit jour teintait les
feuilles d'argent.

Les deux hommes raccompagnèrent Kathryn et
'Aziza à l'hôtel.

— N'était-ce pas merveilleux ? lança 'Aziza.

— Merveilleux est le mot qui convient ! dit
Kathryn.

Elle osa enfin regarder Nazim en face.

Nazim lui prit les mains et les porta à ses lèvres, puis il déposa un baiser sur sa joue.

— Tout le plaisir était pour moi, Kathryn ! Je vous souhaite un bon voyage de retour.

— Mais, Nazim, Kathryn sera là encore quelques jours ! dit 'Aziza.

Kathryn eut un rire forcé.

— Je dois aller rendre visite à des amis personnels, des artistes que je n'ai pas présentés à 'Aziza.

— Pourrais-je vous revoir ? demanda Nazim d'une voix à peine audible.

— Si vous le voulez...

— Je vous téléphonerai...

La sonnerie du téléphone réveilla Kathryn. Elle décrocha.

« — Où étiez-vous cette nuit ? J'ai appelé quatre fois... La dernière, c'était à 3 heures ! J'étais fou d'inquiétude, Kathryn ! »

« — Justin ! (Kathryn ne put se retenir de bâiller.) Excusez-moi, mais je me suis couchée à 5 heures... Nous avons fêté le retour de 'Aziza à son école... »

« — A 5 heures du matin ? »

Le ton de Justin fit sourire Kathryn.

« — C'était très convenable, vous savez ! Monsieur Dafal — le père — nous avait envoyé des cavaliers très honorables, dont un cousin de 'Aziza. J'ai mis mon costume de bal masqué... Vous vous souvenez ? C'est très joli, et très confortable. »

« — Quand rentrerez-vous, Kathryn ? Nous irons ensemble à Salcombe... »

« — Je ne rentrerai pas avant le week-end prochain... Par ailleurs, je ne veux pas aller à
Salcombe ! »

« — Vous ne pensez pas qu'il serait temps
d'oublier Ashley ? Allons, Kathryn, admettez-le :
vous n'avez pas pensé à lui depuis un certain temps !
Acceptez donc ma proposition ! Je sais que vous ado-
rez l'eau ! Oubliez le passé et soyez raisonnable ! (La
voix de Justin s'était faite enjôleuse.) Il y aura là-bas
des amis que je n'ai pas vus depuis longtemps, et dont
je suis sûr qu'ils vous plairont ! »

« — Il est inutile d'insister, Justin ! Je ne peux
pas venir. Je crois que je ne viendrai jamais... »

« — Kathryn ! »

« — Dès mon arrivée ici, je me suis sentie libre. Je
pensais qu'il y avait quelque chose de fort entre nous,
mais je me trompais. Si je vous avais épousé, Justin,
nous aurions été heureux mais seulement pendant
quelque temps. Je veux être libre d'aller où j'ai envie,
de voir mes amis et pas seulement ceux des autres. Je
suis désolée, Justin, mais je vous ferais plus de mal
que de bien en acceptant de vous épouser, et je vous
respecte trop pour vous blesser inutilement. Rappelez-
vous les bons moments que nous avons passés ensemble, comme je m'en souviendrai... »

Kathryn se mit à pleurer.

« — Ne pleurez pas, ma chérie ! Je crois que je
m'attendais un peu à cela... Je serai toujours là si
vous avez besoin d'un ami. (Kathryn entendit un rire,
mais qui sonnait faux.) Je vous aime beaucoup, mais
je n'ai pas su me faire comprendre et aimer de vous.
Ainsi, nous voilà revenus à la poésie :

« Il y avait une porte dont je n'avais pas la clé
Il y avait un voile au travers duquel je ne pouvais voir
Pendant un moment vous et moi avons parlé
Il sembla... puis plus rien de vous et moi. »
La communication fut coupée.

Kathryn plongea la tête dans l'oreiller pour étouffer ses sanglots.

— Je vous ai entendue pleurer ! dit 'Aziza. Vous avez fait un cauchemar ?

— J'ai vu la fin de quelque chose de précieux, répondit Kathryn.

— Il s'agit de Justin Lamborn, n'est-ce pas ?

Kathryn hocha la tête.

— C'est mieux ainsi ! Il n'était pas aussi romantique qu'Ashley, et vous ne pouviez pas l'aimer autant que vous aviez aimé Ashley...

— C'est vrai, 'Aziza...

Elles prirent un petit déjeuner tardif dans leur suite.

Kathryn accompagna 'Aziza jusqu'à l'école.

Là, la jeune fille s'agrippa à son amie.

— Vous devez revenir me voir, Kathryn !

— Je ne peux rien vous promettre. Je crois que je vais repartir aujourd'hui même, et j'écrirai à votre père pour le remercier.

Kathryn retourna à l'hôtel, fit ses bagages avec une précipitation qui semblait être dictée par la peur. Elle était libre, pourtant !

« J'ai été stupide, se dit-elle. Une semaine à Paris

a déformé ma vision des choses. Qu'ai-je fait, mon Dieu ? Je dois retourner auprès de Justin et tout réparer... en l'épousant. »

Elle pensa à son bel oiseau. Ses yeux moqueurs semblaient lui dire : « Crois-tu pouvoir échapper aussi facilement à la vie ? »

Elle téléphona pour demander l'horaire des avions pour Londres ou Luton. On lui promit de le lui faire apporter rapidement.

On frappa à la porte.

— Entrez ! dit-elle.

Elle prit son sac et se retourna.

Nazim se tenait dans l'encadrement, regardant fixement les valises.

— Vous partez ? (Son regard était triste.) Vous rentrez chez vous ? (Il esquissa un sourire.) Il semble que je ne vous retrouve que pour mieux vous perdre...

— Cette fois, c'est moi qui ai décidé de partir... La dernière fois, c'est vous qui m'avez renvoyée...

Nazim ferma la porte derrière lui.

— La dernière fois, vous aviez le cœur brisé parce que l'homme que vous aimiez était mort, et je ne faisais pas partie de votre vie... Aujourd'hui... Pourquoi partez-vous ?

— Pourquoi êtes-vous venu, Nazim ? Par curiosité ? Ou parce que 'Aziza vous a demandé de venir ?

Elle souffrait, et sa voix était dure.

Il s'approcha d'elle.

— Je suis venu parce que je ne pouvais pas rester loin de vous. Quand j'ai appris que vous alliez rendre visite à 'Aziza, je me suis surpris à espérer que vous ne nous aviez pas oubliés, nous autres... Quand je vous ai vue hier soir, portant la robe que je vous avais offerte, j'ai pensé que votre peine s'était estompée, et que vos souvenirs ne vous hantaient plus.

Il releva doucement les mèches de cuivre qui tombaient sur le front de Kathryn.

— Mettez-moi dehors, Kathryn, si vous n'éprouvez pas d'amour pour moi ! Je ne chercherais plus jamais à vous revoir, je vous le promets !

Elle se tenait immobile, les lèvres tremblantes, le regard tendre. Soudain, elle se sentit libérée de ses appréhensions.

Nazim sourit.

— Dites-moi de m'en aller, Kathryn, si vous pouvez m'expliquer pourquoi vous portiez cette robe, pourquoi j'ai pensé que la statuette d'argile n'avait pu être faite que par les mains d'une amoureuse...

Kathryn sourit à son tour.

Elle prit la tête de Nazim entre ses mains.

Et ils échangèrent un très long baiser.

Kathryn savait que sa vie commençait vraiment...

FIN

Ce mois-ci, vous lirez dans nos collections :

COLLECTION DELPHINE

périlleuses impostures par **Rae Collins**

Curieuse insatiable, Robin Smith n'hésite pas à jouer incognito son propre personnage pour découvrir à loisir sa propre famille jusqu'alors inconnue. Mais quand des milliards sont en cause, ce jeu peut devenir dangereux...

COLLECTION INTIMITÉ

Ensorcelante Andalousie par **Leslie Hatcher**

Tracy espère devenir une remarquable assistante de presse lors d'une enquête touristique sur la Costa del Sol. Mais on n'interviewe pas aussi aisément le récalcitrant Ricardo Varga quand on est soi-même citoyen d'un peuple qu'il déteste...

COLLECTION NOUS DEUX

Clandestinement Vôtre... par **Maxine Patrick**

Après une journée fertile en catastrophes, Anne se retrouve prise au piège dans l'avion privé d'un richissime Mexicain. L'accueil est glacial, mais pas aussi surprenant que la tractation que son «hôte» lui réserve dès leur arrivée à Mexico !...

COLLECTION MODES DE PARIS

L'ORCHIDÉE NOIRE DE SUMATRA par **Jacqueline Bellon**

Être invitée dans un palace à Singapour par une milliardaire, devrait être un rêve merveilleux qui durera pour Catherine le temps d'une orchidée noire...

Achevé d'imprimer
le 20 mars 1982
sur les presses
de l'imprimerie Cino del Duca,
18, rue de Folin, à Biarritz.
N° 26.

Dépôt légal n° 478.   Mai 1982.